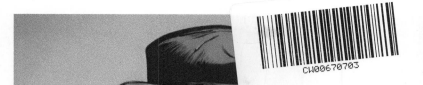

ATRAKCYJNOŚĆ GENTLEMANA

JAK BYĆ ATRAKCYJNYM MĘŻCZYZNĄ

Для Андріани

Skąd wynika atrakcyjność?

N a wstępie warto podkreślić, że samo zjawisko atrakcyjności posiada kilka solidnych źródeł - najważniejszym z nich jest ewolucja.

Co więcej, atrakcyjność wynika także z czynników kulturowych, ale także zupełnego przypadku.

W konsekwencji kobiety pociąga siła fizyczna, dobre zdrowie, pozycja społeczna oraz zgodność z ramami obowiązujących norm społecznych.

To właśnie praca nad tymi elementami umożliwia poprawę naszej atrakcyjności!

Dlaczego warto zadbać o atrakcyjność?

N ie każdy mężczyzna rodzi się przystojnym, ale każdy może zadbać o atrakcyjność! Dlaczego warto?

Atrakcyjność ma ogromny wpływ na wiele elementarnych aspektów codziennej rzeczywistości - tej osobistej, ale również społecznej, a nawet zawodowej. Wystarczy bowiem kilka prostych trików i metod, aby znacząco poprawić nasz wizerunek!

Nie każdy jest przystojny, ale każdy może być atrakcyjny!

Bycie atrakcyjnym i bycie przystojnym to zupełnie różne pojęcia.
Bycie przystojnym oznacza cechy zewnętrzne, odnoszące się do wyglądu zewnętrznego danej osoby. Może obejmować na przykład symetrię twarzy, czyli aspekty, na które nie mamy wpływu.

Atrakcyjność jest bardziej złożoną kategorią, która może obejmować zarówno cechy fizyczne, jak i cechy osobowości. Oprócz wyglądu zewnętrznego, atrakcyjność może być również związana z pewnością siebie, poczuciem humoru, inteligencją, empatią i innymi cechami, nad którymi możemy pracować.

Dlaczego warto dbać o atrakcyjność?

Zatem, jakie są najważniejsze benefity troski o atrakcyjność? Oto powody, dla których warto zadbać o ten składnik męskiej rzeczywistości:

1. Zwiększenie pewności siebie: Wygląd i uczucie atrakcyjności mogą znacząco wpływać na pewność siebie. Osoby, które czują się atrakcyjne, zazwyczaj są bardziej pewne siebie, co może pomóc im w osiągnięciu swoich celów - zarówno w życiu osobistym, jak i zawodowym.

2. Pozytywne pierwsze wrażenie: Pierwsze wrażenie ma ogromne znaczenie. Atrakcyjny wygląd może pomóc w osiągnięciu pozytywnego wrażenia na innych, co może być korzystne w wielu sytuacjach, takich jak rozmowy kwalifikacyjne, zebrania biznesowe lub spotkania.

3. Zdrowy styl życia: Dbanie o atrakcyjność często wiąże się z dbaniem o zdrowie. Osoby, które starają się wyglądać atrakcyjnie, przeważnie prowadzą zdrowszy styl życia, zwracając uwagę na odpowiednią dietę, regularną aktywność fizyczną i sen.

4. Życzliwsze relacje interpersonalne: Atrakcyjność może pomóc w budowaniu lepszych relacji interpersonalnych. Ludzie często są bardziej skłonni do nawiązywania kontaktów i współpracy z osobami, które wydają się atrakcyjne oraz zadbane.

5. Wpływ na samopoczucie: Dbając o siebie i wygląd, możesz poprawić swoje ogólne samopoczucie. Utrzymywanie atrakcyjności może pomóc w zapobieganiu stresowi i innym problemom zdrowotnym.

6. Inspiracja dla innych: Osoby, które starają się wyglądać atrakcyjnie, często stanowią inspirację dla innych. Mogą motywować innych do dbania o siebie i podejmowania zdrowszych wyborów.

7. Pozytywny wpływ na karierę: W niektórych zawodach i branżach atrakcyjność może mieć wpływ na sukces zawodowy. Chociaż kompetencje są zdecydowanie ważniejsze, atrakcyjność może pomóc w zwróceniu uwagi pracodawców lub klientów.

Najważniejsza zasada - działaj!

Jednak, aby to osiągnąć, czeka Cię wiele pracy! Atrakcyjność jest bowiem efektem regularności, konsekwencji i dyscypliny. Z każdym dniem wprowadzane zmiany będą coraz łatwiejsze do wdrożenia, aż do momentu zbudowana zupełnie nowej rutyny.

Ta książka stanowi zbiór specjalnie wyselekcjonowanych porad dotyczących konkretnych obszarów wizualnych. Rozpocznij lekturę od samego początku lub wybierz konkretną sekcję, a następnie wdrażaj te techniki, które okażą się skuteczne dla Ciebie.

Tutaj czas się pożegnać.

Bowiem pod koniec tego poradnika będziesz kimś zupełnie innym.

Będziesz Gentlemanem!

1. Podążaj za rutyną

Utrzymanie właściwej higieny wymaga systematycznego działania tuż po przebudzeniu oraz przed snem,
Stwórz dwie rutyny - poranną oraz wieczorną.

2. Poranna rutyna

Istnieje kilka szczególnie ważnych czynności podczas realizacji porannej rutyny:

- Weź zimny prysznic.
- Umyj twarz.
- Zastosuj serum z witaminą C.
- Umyj żeby.
- Zastosuj krem z filtrem SPF.

3. Wieczorna rutyna

Istnieje kilka szczególnie ważnych czynności podczas realizacji wieczornej rutyny:

- Weź prysznic.
- Umyj twarz.
- Umyj żeby.
- Zastosuj krem z retinolem.

4. Stosuj serum z witaminą c

Witamina C jest silnym antyoksydantem, który pomaga w zwalczaniu szkodliwych wolnych rodników powstających w skórze na skutek działania promieni UV, zanieczyszczeń środowiskowych i innych czynników.

Regularne stosowanie serum z witaminą C może pomóc w utrzymaniu zdrowej, promiennej i młodzieńczej skóry, poprawiając jej ogólny stan i kondycję.

Stosowanie serum należy do porannej rutyny.

5. Bierz prysznic codziennie

C odzienne branie prysznica jest podstawowym elementem higieny osobistej, który pomaga utrzymać czystość ciała, pozbyć się zanieczyszczeń, potu i innych nieprzyjemnych zapachów. Zapach ciała może mieć duży wpływ na pierwsze wrażenie, dlatego ważne jest, aby zadbać o świeżość i czystość skóry.

Regularne mycie ciała podczas prysznica pomaga w utrzymaniu zdrowej skóry poprzez usunięcie martwych komórek skóry, brudu. Zachowanie zdrowej skóry może wpłynąć na jej wygląd i elastyczność, co może dodatkowo poprawić atrakcyjność mężczyzny.

Podsumowując, codzienne branie prysznica jest istotnym elementem higieny osobistej, który może wpłynąć na atrakcyjność mężczyzny poprzez zachowanie czystości, świeżości i zdrowia skóry, zwiększenie pewności siebie oraz zarządzanie aromatem ciała.

6. Zadbaj o oddech

Świeży oddech odgrywa istotną rolę w codziennej interakcji społecznej i wpływa na ogólne wrażenie, jakie robimy na innych ludziach.

Świeży oddech jest kluczowym elementem pierwszego wrażenia, jakie robi się na innych ludziach. Nieprzyjemny zapach z ust może odstraszać i sprawiać, że interakcje społeczne stają się niekomfortowe dla obu stron.

Utrzymywanie świeżego oddechu może zwiększyć pewność siebie w codziennych interakcjach, ponieważ nie trzeba martwić się o potencjalnie nieprzyjemny zapach z ust.

Zdrowie jamy ustnej jest kluczowe dla ogólnego zdrowia organizmu. Nieprzyjemny oddech może być wynikiem problemów zdrowotnych, bakterii, problemów z zębami.

Jak temu zapobiec?

● Regularna higiena jamy ustnej: Regularne szczotkowanie zębów co najmniej dwa razy dziennie, stosowanie nici dentystycznej i płynu do płukania ust oraz czyszczenie języka pomaga usuwać bakterie i resztki pokarmu, które mogą powodować nieświeży oddech.

● Unikanie silnie wonnych pokarmów: Niektóre pokarmy, takie jak cebula, czosnek czy przyprawy, mogą pozostawiać silny zapach w jamie ustnej. Stosowanie gum do żucia bez cukru lub płukanie ust po spożyciu takich produktów może pomóc złagodzić ten problem.

● Regularne wizyty u dentysty: Regularne wizyty u
dentysty pomagają w utrzymaniu zdrowia jamy ustnej oraz
w wykrywaniu i leczeniu ewentualnych problemów z
zębami i dziąsłami, które mogą prowadzić do nieświeżego
oddechu.

7. Używaj dezodorantu

D ezodorant pod pachy jest jednym z podstawowych produktów do pielęgnacji osobistej, który pomaga w utrzymaniu świeżości przez cały dzień.

Główną funkcją dezodorantu jest zapobieganie powstawaniu nieprzyjemnego zapachu spowodowanego przez bakterie rozwijające się na skórze pod pachami. Dezodoranty zawierają składniki, które hamują rozwój bakterii i neutralizują zapach potu.

Warto zwrócić uwagę na składniki zawarte w dezodorancie, zwłaszcza jeśli masz skłonności do alergii lub podrażnień skóry. Niektóre dezodoranty mogą zawierać substancje zapachowe, alkohol, parabeny lub sole aluminium, które mogą powodować reakcje alergiczne u niektórych osób.

Wiele dezodorantów ma dodatkowe właściwości zapachowe, które pozostawiają przyjemny aromat na skórze. Wybór zapachu zależy od indywidualnych preferencji, choć warto pamiętać, że niektóre silnie zapachowe dezodoranty mogą mieszać się z naturalnym zapachem perfum lub kremów do ciała.

8. Regularnie obcinaj paznokocie

Regularne obcinanie paznokci ma wiele korzyści dla zdrowia i higieny, a także może wpłynąć na ogólny wygląd dłoni i stóp.

Krótko obcięte paznokcie wyglądają schludniej i bardziej estetycznie niż długie i nieobcięte.

Krótko obcięte paznokcie są łatwiejsze do utrzymania w czystości i higienie, ponieważ bakterie i zanieczyszczenia nie gromadzą się pod nimi tak łatwo jak pod długimi paznokciami.

Podsumowując, regularne obcinanie paznokci jest ważne dla zachowania zdrowia, higieny i estetyki.

9. Zadbaj o zapach

Wybór idealnego zapachu perfum może mieć znaczący wpływ na nasze samopoczucie, wygląd i ogólną pewność siebie.

Zapach perfum może być wyrazem naszej osobowości i stylu życia. Wybierając perfumy, które pasują do naszych preferencji zapachowych, możemy wyrazić swoją indywidualność i unikalność.

Dobrze dobrany zapach może zwiększyć naszą atrakcyjność w oczach innych osób. Zapach perfum może być subtelny, ale potrafi przyciągnąć uwagę i wywołać pozytywne reakcje.

Zapach perfum może być dopełnieniem ogólnej stylizacji. Wybierając zapach, który pasuje do naszego ubioru i sytuacji, tworzymy kompletny i spójny wizerunek.

Co więcej, obecnie istnieje wiele możliwości, aby zaprojektować swój własny zapach!

10. Korzystaj z naturalnych produktów

Produkty naturalne często zawierają składniki pochodzenia roślinnego, które są łagodne dla skóry i organizmu. Nie zawierają sztucznych barwników, substancji konserwujących, ani innych szkodliwych substancji chemicznych, które mogą wywoływać podrażnienia skóry lub alergie.

Składniki naturalne, takie jak oleje roślinne, ekstrakty ziołowe czy masła shea, mają właściwości łagodzące, nawilżające i odżywcze dla skóry. Mogą pomóc w utrzymaniu jej odpowiedniego nawilżenia, elastyczności i zdrowego wyglądu.

Podsumowując, korzystanie z naturalnych produktów może przynieść wiele korzyści dla zdrowia, środowiska i społeczności lokalnej. Dlatego warto rozważyć wybór naturalnych produktów jako część codziennej pielęgnacji i dbania o siebie.

11. Używaj szczoteczki do twarzy

S zczoteczka do twarzy zapewnia oczyszczenie powierzchni twarzy, ale również pobudzenie krążenia.

12. Stosuj dopasowane kremy

S kóra twarzy mężczyzn może być szczególnie narażona na wysuszenie ze względu na codzienne golenie się. Stosowanie kremów nawilżających pomaga utrzymać odpowiedni poziom nawilżenia skóry, zapobiegając jej przesuszeniu i łuszczeniu się.

Skóra twarzy jest wystawiona na działanie szkodliwych czynników zewnętrznych, takich jak promieniowanie UV, zanieczyszczenia środowiska, wiatr czy mróz. Kremy do twarzy mogą zawierać składniki ochronne, takie jak filtry przeciwsłoneczne, antyoksydanty czy substancje nawilżające, które chronią skórę przed szkodliwymi wpływami środowiska.

Istnieją cztery podstawowe typy skóry - skóra sucha, normalna, skóra mieszana i cera tłusta,

Jeśli masz problem z identyfikacją typu, skorzystaj z wirtualnego testu lub skontaktuj się z ekspertem.

13. Stosuj krem z filtrem

E fekt pierwszego wrażenia jest nierozerwalnie związany z naszą twarzą. Właśnie dlatego należy rzetelnie zadbać o ten obszar atrakcyjności. W jaki sposób?

Tutaj warto nawiązać do dwóch terminów - UVB oraz UVA.

Pierwszy z nich jest zagrożeniem szczególnie w czasie wakacji i odpowiada za oparzenia. Drugi wykazuje ciągłą aktywność i powoduje zmarszczki, a nawet niezwykle groźny proces fotostarzenia się skóry oraz inne schorzenia!

Z tego powodu warto pamiętać o skutecznym kremie z filtrem. Co to oznacza w praktyce?

Wybierając idealny kosmetyk należy skupić uwagę na wartości SPF - Sun Protection Factor. Jest to międzynarodowy symbol, pozwalający na określenie zakresu ochrony przed promieniami UVB. Wartość SPF od 30 zapewnia wysoką oraz bardzo wysoką ochronę, więc to takie produkty powinny być przez nas stosowane.

Pielęgnacja powinna obejmować całą twarz, ale także uszy i szyję!

14. Stosuj retinol

Również w nocy warto stosować odpowiednie kosmetyki. Tutaj zaleca się serum retinol, który jest bardzo skutecznym produktem do pielęgnacji skóry.

Regularne stosowanie retinolu może przyczynić się do poprawy ogólnego wyglądu skóry, nadając jej zdrowszy, bardziej promienny i młodszy wygląd.

Dołącz ten element do wieczornej rutyny.

15. Przyciemnij skórę

C iemniejsza skóra może być zwiększyć atrakcyjność każdego mężczyzny. Jednak, istnieje sposób, aby zadbać o pociągający kolor skóry w sposób naturalny.

W tym celu warto spożywać produkty bogate w beta-karoten, który powoduje delikatną zmianę zabarwienia naszej skóry.

Składniki zawierające beta-karoten to między innymi marchew, morele, melon, mango lub słodkie ziemniaki. Dieta powinna być jednak zbilansowana i zdrowa.

16. Wykorzystaj dermaroller

To niewielkie urządzenie do mezoterapii sprzyja regeneracji, ale również samej odbudowie skóry.

Powstałe mikrouszkodzenia aktywują powstawanie kolagenu oraz elastyny, a także zwiększają wchłanialność wszelkich kremów i substancji.

17. Stosuj roller do twarzy

Ten intuicyjny roller zwiększa jędrność skóry, pobudza krążenie, pomaga w usuwaniu toksyn i redukuje obrzęki.

Masaż powinien odbywać się codziennie. Zaleca się stosowanie ruchów posuwistych, w kierunku od środka twarzy na zewnątrz

18. Nałóż maseczkę chłodzącą

R ealizacja porannych obowiązków to świetny czas na łożenie specjalnej maski chłodzącej. Maska nie ogranicza widoczności i pozwala na szybką redukcję wszelkiego rodzaju opuchlizn.

W tym celu wystarczy zostawić maskę w lodówce, a rano nałożyć ją na twarz.

Profesjonalna maska może być również ogrzana, co sprzyja wieczornemu relaksowi.

19. Praktykuj jogę twarzy

Joga twarzy, podobnie jak inne formy ćwiczeń fizycznych, może przynieść wiele korzyści zdrowotnych, niezależnie od płci.

Ćwiczenia twarzy, takie jak masaż i rozciąganie mięśni, mogą pobudzać krążenie krwi, co może przyczynić się do poprawy zdrowia skóry oraz ogólnego wyglądu.

Ćwiczenia jogi twarzy mogą pomóc w świadomości ruchów mięśni twarzy, co prowadzi do lepszej kontroli mimiki i wyrażania emocji.

20. Gól miejsca intymne

Golenie miejsc intymnych może po prostu estetycznie się prezentować i być postrzegane jako bardziej schludne i atrakcyjne.

Golenie miejsc intymnych może ułatwić utrzymanie higieny, ponieważ krótsze lub pozbawione włosów obszary są łatwiejsze do mycia i utrzymania w czystości. Może to również zmniejszyć ryzyko wystąpienia nieprzyjemnych zapachów.

Co więcej, taki zabieg sprawia, że męskie przyrodzenie wydaje się większe!

21. Gól plecy

G ładka skóra na plecach wygląda bardziej estetycznie i atrakcyjnie. Golenie może pomóc w utrzymaniu schludnego i zadbanego wyglądu.

Golenie pleców może ułatwić utrzymanie higieny, ponieważ skóra jest łatwiejsza do czyszczenia i utrzymania w czystości, a także może zmniejszyć ryzyko nieprzyjemnych zapachów.

22. Dbaj o brwi

D banie o brwi nie jest zarezerwowane tylko dla kobiet. Mężczyźni również mogą, a wręcz powinni zwracać uwagę na wygląd i pielęgnację swoich brwi.

Zadbane brwi mogą poprawić ogólny wygląd twarzy i nadać jej bardziej zdefiniowany kształt. Dbałość o szczegóły, takie jak kształt brwi, może sprawić, że twarz wyda się bardziej uporządkowana i atrakcyjna.

Brwi mają wpływ na wyraz twarzy. Dobrze ukształtowane brwi mogą pomóc w podkreśleniu oczu, co nadaje twarzy bardziej ekspresyjny charakter. To także może wpływać na to, jak jesteśmy postrzegani przez innych.

Instrukcja obsługi:

● Sama regulacja to kwestia indywidualna i powinna być dopasowana do charakterystyki faceta. Cała procedura powinna jedynie podkreślić kształt brwi.

● Umieść przed lustrem w jasno oświetlonym miejscu i skorzystaj z zestawu narzędzi do regulacji brwi.

● Zdecyduj, jaki kształt brwi chciałbyś uzyskać. Czy chcesz jedynie przyciąć dłuższe włoski, czy może chcesz nadać brwiom bardziej zdefiniowany kształt.

● Skorzystaj ze szczypiec do brwi, aby usunąć pojedyncze, zbędne włoski między brwiami i pod łukiem brwiowym. Unikaj przesadzonego usuwania, aby zachować naturalny wygląd.

● Po regulacji brwi, zastosuj łagodny krem nawilżający lub specjalny balsam do pielęgnacji skóry wokół brwi.

23. Dbaj o zęby

Dbanie o zdrowe i białe zęby jest istotne z wielu powodów, zarówno pod względem zdrowia fizycznego, jak i psychicznego. Pamiętaj, aby odwiedzić dentystę przynajmniej 2 razy w roku.

Regularna opieka dentystyczna i dbanie o zęby mogą pomóc w uniknięciu poważniejszych problemów, które wymagają długotrwałego i kosztownego leczenia. Profilaktyka jest zazwyczaj bardziej ekonomiczna i oszczędza czas oraz pieniądze.

Zdrowe zęby są kluczowe dla ogólnego zdrowia jamy ustnej. Nieprawidłowa higiena jamy ustnej może prowadzić do problemów takich jak próchnica, choroba dziąseł, a nawet utrata zębów. Regularne mycie, nitkowanie i wizyty u dentysty pomagają utrzymać zdrowe zęby.

Białe, zdrowe zęby mają duże znaczenie dla codziennego funkcjonowania. Utrzymywanie estetycznego uśmiechu może poprawić naszą pewność siebie i wpłynąć pozytywnie na nasze relacje społeczne i zawodowe.

Estetyczny uśmiech może przyciągać uwagę i sprawiać, że osoba wydaje się bardziej atrakcyjna dla innych. Atrakcyjny uśmiech może mieć wpływ na postrzeganie w kontekście biznesowym. W niektórych zawodach, zwłaszcza tych, które wymagają bezpośredniego kontaktu z ludźmi, estetyczny uśmiech może być uznawany za atut, wpływając pozytywnie na karierę zawodową.

Codzienna rutyna:

- 2 x szczotkowanie x 3 minuty
- nitkowanie

- płukanie

24. Dbaj o stopy

Z adbane stopy są jednym z elementów dbałości o wygląd i higienę osobistą. Czyste, obcięte paznokcie, gładka skóra i brak oznak chorób skórnych przyczyniają się do ogólnego pozytywnego wrażenia.

Dbając o stopy, mężczyzna może wyrazić troskę o siebie i swoje zdrowie. To może być odbierane jako element troski o własny wygląd, co wpływa na ogólne wrażenie zadbanego mężczyzny.

Jak dbać o stopy?

● Regularna higiena: Myj stopy codziennie przy użyciu ciepłej wody i łagodnego mydła. Staraj się dokładnie oczyścić przestrzenie między palcami.

● Osuszanie stóp: Po umyciu starannie osusz stopy, szczególnie przestrzenie między palcami. Wilgotne środowisko może sprzyjać rozwojowi grzybów.

● Obcięcie paznokci: Regularnie przycinaj paznokcie, aby utrzymać je krótkimi i w odpowiedniej formie. Pamiętaj, aby obcinać prosto, unikając zaokrąglania, aby zapobiec wrastaniu paznokci.

● Pielęgnacja skóry: Stosuj nawilżający krem do stóp, zwłaszcza na obszary podatne na przesuszenie. Skoncentruj się na piętach i bokach stóp. Jeśli skóra jest zgrubiała, możesz użyć pilnika do stóp lub kamienia pumeksowego.

● Zakładanie wygodnych butów: Wybieraj buty wykonane z przewiewnych materiałów, które zapewnią odpowiednią cyrkulację powietrza. Unikaj noszenia zbyt ciasnych butów, aby uniknąć otarć i odcisków.

● Stosowanie wkładek: Jeśli potrzebujesz dodatkowego wsparcia lub cierpisz na problemy związane z łukiem stopy, rozważ stosowanie wkładek ortopedycznych.

● Unikanie chodzenia boso w publicznych miejscach: Aby zminimalizować ryzyko zakażenia grzybicą lub wirusami, unikaj chodzenia boso w miejscach publicznych, takich jak baseny lub szatnie.

25. Dbaj o ręce

D banie o ręce jest istotne dla każdej osoby, niezależnie od płci.
Ręce są często jednym z pierwszych elementów, na które zwracamy uwagę podczas spotkania z kimś nowym. Zadbane dłonie mogą stworzyć pozytywne pierwsze wrażenie, podkreślając dbałość o siebie i swoje wygląd.

Zadbane ręce mogą dodawać mężczyźnie pewności siebie i atrakcyjności. Skóra dłoni, paznokcie i kształt palców mogą być ważnym elementem ogólnego wrażenia, jakie się wywiera na innych.

Regularna pielęgnacja skóry dłoni, obcinanie paznokci i nawilżanie skóry to podstawowe działania, które pomogą utrzymać ręce w dobrym stanie i podkreślić ich atrakcyjność.

26. Trymuj włosy w nosie

Włosy w nosie mają za zadanie zatrzymywać pył, bakterie i inne drobnoustroje przed dostaniem się do układu oddechowego. Jednakże, nadmierna ilość włosów może powodować zatrzymywanie się zanieczyszczeń, co może prowadzić do infekcji. Usuwanie nadmiaru włosów może pomóc utrzymać czystość nosa.

Usuwanie włosów z nosa jest również kwestią estetyki. Regularne usuwanie nadmiaru włosów w nosie zapewnia przyjemny, uporządkowany i estetyczny wygląd.

Warto dołączyć ten element do naszego cotygodniowego harmonogramu utrzymania estetyki.

27. Myj twarz zimną wodą

Rozpoczęcie dnia od kontaktu z zimną wodą generuje wiele korzyści dla naszej skóry,

● Poprawa krążenia: Zimna woda pobudza krążenie krwi w skórze, co może sprawić, że twarz stanie się bardziej rozświetlona i promienna.

● Zmniejszenie obrzęków: Chłodna temperatura wody może pomóc w zmniejszeniu obrzęków, zwłaszcza pod oczami, co może być szczególnie korzystne po nocy.

● Zmniejszenie porów: Zimna woda może tymczasowo zmniejszyć rozszerzone pory skóry, co daje wrażenie bardziej gładkiej powierzchni.

● Oczyszczenie skóry: Zimna woda może pomóc w usunięciu nadmiaru naturalnego oleju skórnego i zanieczyszczeń, co może przyczynić się do utrzymania czystej skóry.

● Wzmocnienie skóry: Kontakt zimnej wody może pobudzać skórę do produkcji kolagenu, co może przyczynić się do utrzymania jej elastyczności.

● Ożywienie i pobudzenie: Chłodna woda może również działać ożywczo i pobudzająco, co może być przydatne zwłaszcza rano, aby pomóc w przebudzeniu się i poprawie energii.

28. Nie dotykaj twarzy

C iągłe dotykanie twarzy może przynieść szereg negatywnych konsekwencji dla skóry i zdrowia. Oto kilka powodów, dlaczego nie warto tego robić:

- Przenoszenie bakterii: Dotykanie twarzy, zwłaszcza brudnymi rękoma, może przenosić bakterie z rąk na skórę, co zwiększa ryzyko infekcji i pojawiania się trądziku.

- Pogorszenie stanu skóry: Dotykanie twarzy, zwłaszcza w obszarze trądziku, może zaostrzyć stan skóry. Przenoszenie bakterii i manipulowanie skórą może prowadzić do podrażnień, zaczerwienień i powstawania zaskórników.

- Uszkadzanie delikatnej skóry: Skóra twarzy jest delikatna i wrażliwa. Ciągłe dotykanie może powodować uszkodzenia, zarysowania, a nawet przyczynić się do przedwczesnego starzenia się skóry.

- Przenoszenie zanieczyszczeń: Dotykanie twarzy może przenosić zanieczyszczenia z otoczenia na skórę, co może prowadzić do zapchanych porów i powstawania zaskórników.

- Rozprzestrzenianie infekcji: W czasach chorób zakaźnych, takich jak grypa czy przeziębienie, częste dotykanie twarzy rękami może zwiększać ryzyko przenoszenia wirusów na błony śluzowe nosa, ust i oczu, co zwiększa szanse na zachorowanie.

- Naruszenie warstwy ochronnej: Skóra ma naturalną warstwę ochronną, a ciągłe dotykanie może zakłócać tę ochronę, pozostawiając skórę bardziej podatną na infekcje i podrażnienia.

Bądź bardziej świadomy swoich nawyków dotyczących dotykania twarzy. Świadomość tego działania może pomóc w zidentyfikowaniu momentów, w których możesz nieświadomie dotykać twarzy i pracować nad zmianą tych nawyków.

29. Oczy łowcy

Oczy łowcy to oczy o kształcie migdałów, które są głęboko osadzone w czaszce. Zazwyczaj chronione są przez wystający kość brwiowa. Zgodnie z koncepcją oczu łowcy, środek oka jest poziomo szeroki, pionowo wąski i skierowany do góry. Górna krawędź źrenicy jest w linii z dolnym fałdem powieki, a dolna krawędź jest poniżej niego.

Istnieje kilka cech charakterystycznych dla oczu łowcy, które czynią je atrakcyjnymi:

Pewność siebie Oczy łowcy emanują poczuciem kontroli i asertywności, które są bardzo pożądanymi cechami u partnera. Bezpośredni kontakt wzrokowy to znak rozpoznawczy oczu łowcy, który komunikuje poczucie bezpieczeństwa i niezawodności.

Siła Oczy łowcy komunikują poczucie władzy i autorytetu. Łowcze oczy posiadają skierowany do góry kształt, co nadaje im przenikliwe i skupione spojrzenie, które może być niepokojące.

Skupienie Oczy łowcy posiadają dużą intensywność, która może być jednocześnie atrakcyjna i przytłaczająca podczas pierwszego kontaktu.

Jak uzyskać oczy łowcy?

Poprzez ćwiczenia mewing!

Mewing to zwrot powszechnie stosowany do opisu zestawu ćwiczeń mających na celu poprawienie postawy szczęki poprzez prawidłowe ułożenie języka w jamie ustnej. Niektórzy uważają, że te ćwiczenia mogą zmieniać kształt twarzy.

Instrukcja: Aby wykonać ćwiczenie, zamknij usta i umieść zęby tak, aby lekko się stykały. Następnie przesuń język do góry i przyłóż lekkie nacisk. Powinien pojawić się delikatny ucisk w całej szczęce. Ważne jest, aby to ćwiczenie nie blokowało drogi oddechowej podczas oddychania. Staraj się utrzymać tę pozycję przez jak najdłuższy czas w ciągu dnia.

30. Pełne oczy

Pełne i widoczne oczy zwiększają atrakcyjność mężczyzny. Aby to osiągnąć unikaj mrużenia oczu.

31. Dbaj o postawę

P rawidłowa postawa wspiera zdrowie kręgosłupa. Utrzymywanie naturalnej krzywizny kręgosłupa pomaga w równomiernym rozłożeniu obciążeń na kręgi, stawy i mięśnie, co przeciwdziała dyskom i bólom pleców.

Zła postawa może prowadzić do różnych dolegliwości, takich jak ból pleców, ból szyi, a nawet bóle głowy. Poprawa postawy może przynieść ulgę i zmniejszyć dolegliwości bólowe.

Prawidłowa postawa wpływa na ogólny wygląd ciała. Osoba utrzymująca prosto plecy i unikająca skrzywienia prezentuje się bardziej pewnie i atrakcyjnie.

Osoby utrzymujące właściwą postawę często odczuwają poprawę ogólnego samopoczucia. Poprawa krążenia, dostarczanie odpowiednich ilości tlenu do organizmu i zmniejszenie bólu przyczyniają się do lepszego samopoczucia psychicznego.

Jak to osiągnąć?

● Zwróć uwagę na swoją postawę ciała. Czasami ludzie nie zdają sobie sprawy, że utrzymują złą postawę. Regularnie sprawdzaj, czy stojąc czy siedząc, utrzymujesz naturalną krzywiznę kręgosłupa.

● Dobra postawa zaczyna się od nóg. Upewnij się, że Twoje stopy są równomiernie obciążone, a ciężar ciała jest rozłożony równomiernie na obie nogi. Unikaj przekładania ciężaru na jedną nogę.

● Regularne ćwiczenia rozciągające oraz ćwiczenia mogą pomóc w utrzymaniu elastyczności mięśni, co ułatwia utrzymanie prostej postawy.

32. Pozbądź się "brzucha"

Pozbycie się "piwnego brzucha", czyli zbieranego tłuszczu w okolicach brzucha, może być korzystne dla zdrowia fizycznego i psychicznego.

Redukcja tkanki tłuszczowej w okolicach brzucha przyczynia się do ogólnego poprawy zdrowia. To może wpływać na obniżenie poziomu cholesterolu, ciśnienia krwi oraz zmniejszenie ryzyka wielu chorób przewlekłych.

Regularna aktywność fizyczna i zdrowa dieta, które są często częścią procesu redukcji tłuszczu, przyczyniają się do ogólnej poprawy kondycji fizycznej. Wzmacnianie mięśni brzucha może również poprawić postawę ciała.

Utrata nadmiernego tłuszczu może wpływać pozytywnie na poczucie własnej wartości i pewność siebie. Osoby, które podejmują wysiłki w kierunku redukcji tłuszczu, często doświadczają poprawy nastroju i ogólnego samopoczucia.

Jak to osiągnąć?

- Skup się na zdrowej i zrównoważonej diecie. Ogranicz spożycie kalorii, unikaj przetworzonej żywności, tłustych potraw i słodyczy. Zamiast tego wybieraj pełnowartościowe produkty!

- Regularne ćwiczenia są kluczowe dla redukcji tłuszczu. Skoncentruj się na treningach cardio, takich jak bieganie, pływanie, jazda na rowerze czy ćwiczenia aerobowe, aby spalać kalorie. Dodatkowo, włącz do planu treningowego ćwiczenia wzmacniające mięśnie brzucha, takie jak plank, brzuszki czy podnoszenie nóg.

33. Zbuduj szerokie barki

D banie o szerokie barki ma swoje korzyści zarówno z perspektywy zdrowia, jak i estetyki.

Szerokie barki nadają sylwetce atletyczny wygląd, co jest pożądane z punktu widzenia estetyki. Rozwinięte barki mogą również pomóc w stworzeniu proporcji ciała, co wpływa pozytywnie na ogólny wygląd.

Wzmacnianie barków pomaga w zwiększeniu ogólnej siły rąk i klatki piersiowej. To kluczowe, zarówno dla sportowców, jak i dla osób prowadzących aktywny tryb życia. Szerokie barki są kluczowe dla wykonywania wielu codziennych czynności, takich jak podnoszenie ciężkich przedmiotów.

Jak to osiągnąć?

- Podciąganie: To doskonałe ćwiczenie do rozwijania mięśni grzbietu i barków.

- Wyciskanie sztangi nad głową: Skoncentruj się na tej technice, aby aktywować mięśnie barków.

- Unoszenie hantli bokiem: To ćwiczenie izoluje mięśnie boczne barków.

34. Dbaj o włosy

Ten rozdział dotyczy aspektów wizualnych oraz właściwego dbania o stan naszych włosów. Oto kilka uniwersalnych wskazówek:

● Myj włosy regularnie, ale unikaj nadmiernej częstotliwości mycia, co może prowadzić do nadmiernego usuwania naturalnych olejków skóry głowy.

● Używaj łagodnych szamponów i odżywek, dostosowanych do swojego typu włosów.

● Unikaj tarcia włosów intensywnie ręcznikiem po myciu. Lepiej delikatnie wycisnąć wilgoć i używać ręcznika wykonanego z miękkiego materiału.

● Używaj delikatnych szczotek i grzebieni, aby uniknąć łamania włosów.

● Przycinanie końcówek co kilka miesięcy pomaga utrzymać zdrowe włosy, eliminując rozdwojone końcówki i poprawiając ogólny wygląd.

● Jeśli spędzasz dużo czasu na słońcu, Chroń swoje włosy przed szkodliwym promieniowaniem UV, nosząc kapelusz lub używając produktów z filtrem UV.

- Włącz do diety składniki odżywcze, takie jak witaminy, minerały i białko, które wspierają kondycję włosów.

- Stres może negatywnie wpływać na kondycję włosów.

35. Wybierz odpowiedni styl włosów

Wybór stylu włosów zależy od wielu czynników, takich jak kształt twarzy, struktura włosów, styl życia, preferencje estetyczne i wiele innych.

Wybieraj style włosów, które komplementują kształt twojej twarzy:

- Dla twarzy okrągłej: boki i tół krótko ścięte; Quiff, Pompadour, Brush Back, Comb over.

- Dla twarzy owalnej: większość stylów włosów pasuje do twarzy owalnej.

- Dla twarzy kwadratowej: krótkie stylizacje; Pompadour.

- Dla twarzy trójkątnej: duża objętość; Quiff.

- Dla twarzy diamentowej: dłuższe włosy, styl messy.

- Dla twarzy podłużnej: dłuższe fryzury, które dopełniają boki.

Upewnij się, że wybrany styl uwzględnia strukturę twoich włosów. Niektóre fryzury lepiej sprawdzają się w gładkich włosach, podczas gdy inne mogą korzystać z naturalnych fal czy kręconych kosmyków.

Wybieraj fryzury, które są zgodne z twoim stylem życia. Jeśli masz aktywny tryb życia, zadbaj o łatwość utrzymania i stylizacji.

Nie bój się łysiny! Łysina może być bardzo atrakcyjna, a wiele osób uznaje ją za cechę charakteryzującą pewność siebie i męskość. Łysina może nadawać mężczyźnie unikalny i charakterystyczny wygląd. W połączeniu z odpowiednim stylem ubierania, może stanowić silny element stylizacji.

Podczas pierwszych oznak łysiny warto pamiętać o utrzymaniu schludnego, krótkiego stanu włosów, a może nawet nowego rytuału z brzytwą u barbera.

36. Wybierz odpowiedni styl zarostu

S tyl zarostu może być formą wyrażania własnej tożsamości i stylu życia.

Odpowiednio dobrany styl zarostu może pomóc w zrównoważeniu proporcji twarzy, podkreśleniu jej atutów i ukryciu ewentualnych niedoskonałości.

Zadbane i odpowiednio stylizowane zarosty mogą sprawić, że wydajesz się bardziej pewny siebie i zadbany. Jednocześnie zarost może pomóc w ukryciu pewnych niedoskonałości skóry, blizn czy asymetrii twarzy.

Jak wygląda proces wyboru idealnego zarostu?

- Określ kształt swojej twarzy.

- Określ grubość swojego zarostu.

- Przejrzyj różne style brody.

- Wybierz styl brody, który najlepiej pasuje do kształtu twojej twarzy i grubości włosów.

37. Poznaj kształt twarzy

O krągła twarz:

- ○ Okrągłe policzki oraz szczęka.
- ○ Czoło jest niewysokie, a linia włosów zaokrąglona.

Kwadratowa twarz:

- ○ Czoło, policzki i szczęka równej długości.
- ○ Wyraźny podbródek.
- ○ Kwadratowa linia włosów.
- ○ Czoło niskie i szerokie.
- ○ Szerokość i wysokość twarzy podobnej wielkości.

Trójkątna twarz:

- ○ Wysokie czoło jest najszerszym punktem twarzy.
- ○ Broda spiczasta.
- ○ Kształt litery V.

Owalna twarz:

- ○ Podobna wysokość czoła, nosa i brody.
- ○ Kości policzkowe jako najszerszy punkt.
- ○ Podbródek lekko zwężony.

Prostokątna twarz:

○ Podłużne policzki.
○ Zarysowana broda.
○ Szczęka, czoło oraz policzki podobnej szerokości.

Diamentowa twarz:

○ Wyraźne kości policzkowe, jako najszerszy punkt twarzy.
○ Spiczasty podbródek.
○ Policzki szersze od czoła.

38. Pomyśl o brodzie

B roda może dodawać charakteru i męskiego wyrazu twarzy. Może również pomóc w wyrażeniu własnego stylu i indywidualności. Dobrze dobrana broda może być modnym elementem męskiej stylizacji, która podnosi atrakcyjność.

Dla niektórych mężczyzn noszenie brody może być źródłem większej pewności siebie i męskości. Może to wpłynąć pozytywnie na ich samopoczucie i sposób postrzegania samego siebie.

39. Dopasuj zarost do twarzy

O krągła twarz:

- ○ Wyszczuplenie twarzy.
- ○ Linia zarostu wzdłuż kości policzkowych z dłuższym dołem.

Kwadratowa twarz:

- ○ Typ dowolny z zachowaniem kwadratowych krawędzi.
- ○ Kozia bródka.

Trójkątna twarz:

- ○ Zarost odwrotny do kształtu twarzy.
- ○ Bujny zarost na i pod policzkami.
- ○ Kształt prostokątny,

Owalna twarz:

- ○ Uniwersalny kształt.
- ○ Każdy typ brody.

Prostokątna twarz:

- ○ Optyczne skrócenie twarzy.
- ○ Krótki zarost.

Diamentowa twarz:

○ Zaokrąglony zarost pokrywający całą twarz.

40. Pobudzaj swoje włosy

Dla wielu ludzi zdrowe, gęste włosy są postrzegane jako atrakcyjne i stanowią element atrakcyjności zewnętrznej. Dlatego wiele osób podejmuje działania w celu poprawy ogólnego wyglądu swoich włosów.

Działania mające na celu pobudzanie wzrostu włosów mogą być podejmowane w celu zapobiegania lub łagodzenia procesu łysienia.

Sposoby na pobudzenie wzrostu włosów:

- zdrowa dieta,
- prawidłowa pielęgnacja,
- naturalna suplementacja.
- stosowanie wcierek i olejów,
- stosowanie peelingu do włosów,
- unikanie negatywnych warunków,
- masaż głowy,
- pobudzanie krążenia za pomocą mezorollera.

41. Skorzystaj z wiedzy konsultanta

U sługi doradztwa w zakresie naszych włosów oraz zarostu wcale nie oznaczają ogromnych nakładów finansowych.

Ekspert przeprowadzi analizę naszej twarzy, a następnie zaproponuje rozwiązanie dopasowane do unikalnych rys, podkreślając określone cechy, a redukując inne.

Dzięki temu zyskasz oryginalny i niepowtarzalny styl oraz jasne wskazówki podczas wizyty u barbera lub fryzjera.

42. Dbaj o swój podbródek

Wygląd podbródka może wpływać na ogólny wizerunek osobisty. Dla wielu mężczyzn ważne jest, aby czuć się pewnie i atrakcyjnie, a kształt podbródka może być istotnym elementem tego wizerunku.

Kształt podbródka ma wpływ na ogólną symetrię twarzy. Symetryczna twarz jest często uważana za atrakcyjniejszą z estetycznego punktu widzenia, a odpowiednia opieka nad podbródkiem może pomóc w osiągnięciu harmonii w proporcjach twarzy.

Sposoby na atrakcyjny podbródek:

- przebadaj się i sprawdź, czy podwójny podbródek nie jest wynikiem choroby.

- zrzuć zbędne kilogramy,

- zadbaj o prawidłową dietę,

- dbaj o poprawną pozycję ciała,

- zwróć uwagę na poprawne oddychanie,

- wykonuj jogę twarzy,

- wykonuj masaż twarzy, także za pomocą kamienia gua sha.

Jeśli takie sposoby nie przynoszą rezultaty wciąż pozostają dwie możliwości - przykrycie podwójnego podbródka atrakcyjnym zarostem oraz profesjonalna usługa u lekarza medycyny estetycznej.

43. Dobierz właściwe okulary

W przypadku, gdy nosisz okulary, warto dostosować ich styl do Twojej twarzy. Co to oznacza w praktyce?

Okulary powinny być elementem wizerunku, który podkreśli Twoje walory. Bardzo dobrą wskazówką jest reguła kontrastu, według której styl okularów powinien odróżniać się od kształtu naszej twarzy.

Okulary powinny być jednocześnie dopasowane do realnych wymiarów naszej twarzy, podkreślając kolor oczu lub włosów.

Dobierając model okularów warto pamiętać także o naszej garderobie. Decydując się na klasyczny, ale elegancki i minimalistyczny styl zapewnimy sobie elastyczność i ponadczasowość.

Nasze okulary zawsze powinny być czyste i w dobrym stanie technicznym.

- Twarz trójkątna: okulary prostokątne, browline, owalne, aviator, geometryczne, zawinięte

- Twarz serce: okulary prostokątne, aviator, geometryczne, zawinięte

- Twarz diamentowa: okulary owalne, aviator, okrągłe, zawinięte

- Twarz okrągła: okulary prostokątne, kwadratowe, aviator, zawinięte

- Twarz podłużna: okulary wayframe, browline, owalne, aviator, okrągłe, geometryczne, geometryczne, zawiłe

- Twarz owalna: okulary prostokątne, kwadratowe, wayframe, browline, aviator, geometryczne, zawiłe

- Twarz kwadratowe: okulary wayframe, browline, owalne, aviator, okrągłe, zawiłe

44. Dbaj o garderobę

Pierwsze wrażenie jest kluczowe, zwłaszcza w kontekście spotkań towarzyskich, randek czy rozmów o pracę. Garderoba może znacząco wpłynąć na pierwsze wrażenie, prezentując mężczyznę jako zadbany, stylowy i świadomy swojego wyglądu.

Ubieranie się w sposób, który sprawia, że mężczyzna czuje się dobrze we własnej skórze, może przyczynić się do zwiększenia jego pewności siebie i pozytywnego nastawienia. Dobrze dopasowana garderoba może podkreślać atuty sylwetki i maskować ewentualne niedoskonałości.

Sposób, w jaki mężczyzna ubiera się, może być wyrazem jego osobowości i stylu życia. Odpowiednio dobrane ubrania mogą pomóc w wyrażeniu indywidualności, zainteresowań oraz profesjonalizmu.

45. Znajdź swój styl

Twój styl ubierania się może być wyrazem twojej osobowości, zainteresowań, wartości i stylu życia. Znalezienie własnego stylu pozwala ci wyrazić siebie i pokazać światu kim naprawdę jesteś.

W tłumie osób odróżnia się ten, kto ma indywidualny styl. Posiadanie własnego, rozpoznawalnego stylu pozwala ci wyróżnić się i być zapamiętanym przez innych.

Gdy masz już określony własny styl, łatwiej jest ci podejmować decyzje dotyczące zakupów. Unikasz niepotrzebnych wydatków na rzeczy, które nie pasują do twojego stylu, i oszczędzasz czas, unikając długich godzin spędzonych na szukaniu odpowiednich ubrań.

46. Odkryj swoją sylwetkę

A by tego dokonać zmierz i zapisz następujące wymiary, a następnie zidentyfikuj ten o największej wartości:

- klatka piersiowa
- talia
- biodra
- wysokość pod linią żeber

Oto 4 typu budowy

1. odwrócony trójkąt: szerokie barki silna klatka wąskie biodra mocne nogi uniwersalna i pożądana
2. gruszka: wymaga korygowania pozycji i wyrównania górnej części ciała z dolną
3. jabłuszko: biodra i ramiona proporcjonalne widoczny brzuch ubrania powinny pasować do ciała, ale nie opinać
4. prostokąt: proporcja ramion pasa i bioder są do siebie zbliżone ważne jest wyeksponowanie pasa i optyczne poszerzenie linii ramion

47.Zacznij od podstaw

Kompletowanie stroju na dany dzień zacznij od bazy, czyli spodni i koszuli, a następnie przejdź do wszelkich dodatków i akcesoriów.

48. Kupuj dopasowane ubrania

D opasowane ubrania lepiej podkreślają sylwetkę, co może sprawić, że mężczyzna wygląda bardziej zadbany i atrakcyjnie.

Kiedy mężczyzna nosi ubrania, które pasują idealnie do jego sylwetki, może to zwiększyć jego poczucie pewności siebie. Czując się dobrze we własnej skórze, mogą być bardziej otwarci i pewni siebie w kontaktach z innymi.

Jednak warto pamiętać, że atrakcyjność mężczyzny nie zależy wyłącznie od ubioru. Inne czynniki, takie jak osobowość, charakter, poczucie humoru i inteligencja, również mają istotne znaczenie dla ogólnej atrakcyjności. Ubranie to jedynie jeden z elementów całego wizerunku.

49. Pokazuj tricepsy

Noś koszulki, które wyeksponują Twoje tricepsy lub roluj rękawki! Dobrze wykształcone tricepsy mogą dodawać atrakcyjności fizycznej. Noszenie koszulek, które podkreślają te mięśnie, może pomóc w pokazaniu się z najlepszej strony i przyciągnięciu uwagi innych osób.

Taki zabieg optycznie zwiększa Twoje mięśnie.

50. Dopasuj strój do okazji

D opasowanie ubioru do okazji jest ważne, ponieważ odpowiedni strój może pomóc wyrazić szacunek dla danej sytuacji, wpłynąć pozytywnie na pierwsze wrażenie oraz podkreślić naszą osobowość i profesjonalizm.

W niektórych sytuacjach istnieją określone oczekiwania dotyczące ubioru, np. na formalnych wydarzeniach, w pracy, podczas uroczystości rodzinnych itp. Dostosowanie się do tych standardów pokazuje szacunek dla okoliczności oraz dla innych obecnych osób.

Nasz ubiór może wpływać na to, jak inni nas postrzegają. Wybierając odpowiedni strój, możemy kontrolować to pierwsze wrażenie, które robią na nas innych ludzi.

Spraw, aby Twój strój odzwierciedlał dopasował się do nadchodzących okoliczności.

Styl prawdziwego dżentelmena nie oznacza bowiem elegancką wyszukaną garderobę, ale umiejętność jej adaptacji do okazji,

51. Znajdź idealne jeansy

Wybór idealnych jeansów może być kluczowy dla komfortu i stylu podczas realizacji codziennych obowiązków.

Wybierz jeansy, które pasują do Twojego rozmiaru ciała. Upewnij się, że spodnie dobrze leżą w talii, biodrach i długości nogawki. Unikaj jeansów, które są zbyt ciasne lub zbyt luźne.

Wybierz jeansy wykonane z wysokiej jakości materiałów, które są trwałe i wygodne. Dobrej jakości denim będzie się dobrze nosił i nie będzie się szybko zużywał.

Wybierz kolor jeansów, który najlepiej pasuje do Twojej garderoby i stylu życia. Klasyczne kolory, takie jak granatowy, czarny lub ciemny jeans, są zazwyczaj najbardziej uniwersalne i łatwe do zestawienia z innymi ubraniami.

Wybierz idealny krój:

- Straight - oznacza proste nogawki na całej długości, co optycznie wydłuża kończyny. Bardzo wygodne i uniwersalne.

- Tapered - krój zapewniający więcej luzu w udach, ale zwężający się ku nogawkom.

- Slim - model wybierany szczególnie przez osoby szczupłe. Jeansy te dopasowują się do sylwetki, ale nie uciskają.

- Regular - klasyczny model z prostymi nogawkami.

52. Wybieraj jakość

I stnieje wiele powodów, dla których warto inwestować w odzież wysokiej jakości.

Odzież wysokiej jakości jest zazwyczaj wykonana z lepszych materiałów i przy użyciu wyższych standardów produkcji, co sprawia, że jest bardziej trwała. Wybierając odzież wysokiej jakości, można być pewnym, że będzie ona służyć przez długi czas, co ostatecznie może zaoszczędzić pieniądze na długoterminową perspektywę, ponieważ nie trzeba będzie tak często wymieniać ubrań.

Odzież wykonana z wysokiej jakości materiałów często jest bardziej miękka, delikatna dla skóry i bardziej oddychająca niż ta wykonana z tańszych materiałów. Noszenie wygodnej odzieży może poprawić samopoczucie i komfort przez cały dzień.

Dobrej jakości materiały również zachowują swój kształt i kolor nawet po wielu praniach, co oznacza, że ubrania wyglądają świeżo i elegancko przez dłuższy czas.

53. Rób regularny przegląd

Regularne przeglądanie i czyszczenie szafy pomaga utrzymać porządek i przestrzeń w mieszkaniu. Pozbywanie się nieużywanych ubrań pozwala uniknąć nadmiernego zagraca, co może wpłynąć pozytywnie na samopoczucie i organizację przestrzeni życiowej.

Pozbywanie się rzeczy, których nie nosimy, pomaga zwiększyć przestrzeń dla ubrań, które faktycznie lubimy i chcemy nosić. Pozwala to na lepszą organizację i łatwiejsze dostęp do ulubionych elementów garderoby.

Ubrania, których nie nosimy, mogą być wartościowe dla innych osób. Przekazanie nieużywanych ubrań do organizacji charytatywnych lub oddanie ich komuś innemu może przynieść korzyść zarówno dla nas, jak i dla innych.

Wykonuj przegląd garderoby raz w roku!

54. Wybieraj czarną bieliznę

C zarna bielizna jest bardzo uniwersalna i pasuje do wielu różnych stylów i kolorów odzieży. Można ją nosić zarówno na co dzień, jak i na specjalne okazje, co czyni ją bardzo praktyczną.

Czarna bielizna jest mniej podatna na widoczne ślady użytkowania, takie jak plamy czy zużycie, w porównaniu do bielizny w jasnych kolorach.

55. Dopasuj skarpetki do spodni

D obierając skarpetki do koloru spodni, można stworzyć bardziej spójny i harmonijny wygląd. Skarpetki w kolorze zbliżonym do koloru spodni tworzą wrażenie jednolitej linii, co może sprawić, że cały strój wydaje się lepiej przemyślany.

Dobór skarpetek do koloru spodni jest zwykle bardziej elegancki i dyskretny, co może być odpowiednie w bardziej formalnych lub profesjonalnych sytuacjach.

56. Wyposaż się w białą koszulkę

B iała koszulka jest klasykiem i pasuje do niemal każdej sytuacji i stylu. Można ją nosić zarówno na co dzień, jak i na bardziej formalne okazje, można ją zestawić z jeansami, spodniami materiałowymi, pod marynarką, czy nawet pod sweter.

Biała koszulka jest łatwa w zestawianiu z innymi elementami garderoby. Pasuje do wielu kolorów, wzorów i stylów, co sprawia, że tworzenie różnorodnych stylizacji jest prostsze.

Biały kolor jest neutralny i odświeżający. Nadaje się doskonale do letnich stylizacji, odbijając słońce i utrzymując uczucie chłodu.

Bawełniane białe koszulki są zwykle wygodne, przewiewne i łatwe w pielęgnacji, co sprawia, że są praktycznym elementem garderoby.

Wyposaż się w kilka sztuk!

57. Kup dwie pary eleganckiego obuwia

B rązowe i czarne buty są klasykami i pasują do wielu różnych stylów i kolorów ubrań. Dzięki temu będą one odpowiednie zarówno do codziennych, jak i bardziej formalnych okazji.

Brązowe buty będą świetnie wyglądać z ubraniami w odcieniach zieleni, brązów, beżów czy granatów, podczas gdy czarne buty będą pasować do wielu innych kolorów, w tym szarości, granatów, bieli czy czerni.

Posiadanie dwóch par butów w różnych kolorach pozwoli na stworzenie bardziej zróżnicowanych stylizacji. Można dopasować buty do reszty stroju, aby uzyskać pożądany efekt wizualny.

Skórzane buty wysokiej jakości, bez względu na kolor, mogą służyć przez wiele lat, dlatego posiadanie dwóch par w różnych kolorach może być inwestycją w trwałe i uniwersalne obuwie.

Świetnym przykładem są buty typu Oxford!

58. Noś sandały poprawnie

Połączenie sandałów ze skarpetami jest często postrzegane jako nietrafione stylistycznie i może być uznane za brak estetyki.

Sandały są zazwyczaj noszone w cieplejsze dni, gdy stopa ma swobodę oddychania, podczas gdy skarpety są elementem garderoby noszonym w chłodniejszych warunkach. Połączenie tych dwóch elementów może wydawać się sprzeczne ze względu na ich funkcje i przeznaczenie.

Skarpety mogą ograniczać przepływ powietrza do stóp i powodować dyskomfort, a także prowadzić do nadmiernego pocenia się stóp. Dodatkowo, noszenie sandałów bez skarpet pozwala na lepszą wentylację i higienę stóp.

Podsumowując, noszenie sandałów ze skarpetami jest często uznawane za modowy faux pas ze względu na brak estetyki, niezgodność ze stylem i naruszenie zasad mody.

59. Dbaj o swoje buty

R egularne dbanie o buty jest kluczowe dla ich trwałości, wyglądu i komfortu noszenia.

Regularna konserwacja i pielęgnacja butów może znacząco zwiększyć ich trwałość. Regularne czyszczenie, smarowanie i impregnacja pomagają chronić skórę lub inne materiały przed działaniem czynników zewnętrznych, takich jak wilgoć, brud czy sól.

Dobrze utrzymane buty są zwykle bardziej komfortowe w noszeniu. Regularna pielęgnacja może zapobiegać odkształceniom, zniszczeniom czy otarciom, co przekłada się na wygodę użytkowania.

Usuwanie brudu i bakterii z wnętrza butów może zapobiegać powstawaniu nieprzyjemnych zapachów oraz infekcji skórnych.

Pielęgnacja powinna obejmować również obuwie sportowe.

W rezultacie regularna pielęgnacja butów może przyczynić się do ich długotrwałego użytkowania, lepszego wyglądu i większego komfortu noszenia. Warto więc poświęcić trochę czasu na regularną konserwację swojego obuwia, aby cieszyć się z nich jak najdłużej.

60. Dobierz kolorystykę

Łączenie kolorów w męskiej garderobie może być kreatywnym procesem, który podkreśla styl i osobowość, jednocześnie zachowując elegancję i spójność.

Zazwyczaj warto zacząć od zestawiania klasycznych podstawowych kolorów, takich jak czarny, biały, szary, granatowy i brązowy. Są to kolory uniwersalne, które łatwo ze sobą łączyć i które pasują do wielu innych kolorów.

Kontrast między kolorami może dodawać dynamiki i zainteresowania strojowi. Na przykład, zestawienie ciemnych i jasnych kolorów lub kolorów ciepłych i zimnych może stworzyć interesujący efekt wizualny.

Wiele udanych stylizacji opiera się na zasadzie trzech kolorów: główny kolor (np. granatowy), dodatkowy kolor (np. szary) i akcentowy kolor (np. czerwony). Pozwala to na stworzenie spójnego, ale interesującego wyglądu.

Neutralne kolory, takie jak biały, czarny, szary, beżowy czy brązowy, mogą służyć jako podstawowa baza, do której można dodać akcenty kolorystyczne. Pozwalają one na elastyczne łączenie z innymi kolorami.

Warto unikać nadmiaru różnych intensywnych kolorów w jednej stylizacji, aby uniknąć efektu kolorowego przesytu. Zamiast tego, można postawić na subtelne akcenty kolorystyczne lub jednolite kolorystycznie zestawienia z dodatkiem pojedynczego wyraźnego koloru.

61. Zaczerwień się

K olor czerwony jest często postrzegany jako kolor związany z energią, pasją i pewnością siebie. Może on mieć różnorodne wpływy na atrakcyjność w zależności od kontekstu i interpretacji.

Czerwony jest barwą intensywną i wyrazistą, która potrafi szybko przyciągać uwagę. Może to sprawić, że osoba nosząca ubrania w kolorze czerwonym stanie się bardziej zauważalna i atrakcyjna dla innych.

Czerwony jest kolorem zdecydowanym, a odpowiednio zastosowany kojarzy się z wyższą klasą społeczną.

Czerwony kolor może pomóc w podkreśleniu sylwetki i figury, co może dodatkowo zwiększyć atrakcyjność fizyczną.

62. Wykorzystuj efekty wizualne

● Czarny: Czarny jest powszechnie znany z tego, że wyszczupla sylwetkę. Koszulki w kolorze czarnym mogą optycznie zmniejszyć rozmiar ciała, tworząc efekt "wciągnięcia" sylwetki. Ponadto czarny jest również elegancki i uniwersalny, co sprawia, że koszulki w tym kolorze są popularnym wyborem na wiele różnych okazji.

● Biały: Białe koszulki są jasne i optycznie powiększają sylwetkę. Mogą sprawiać wrażenie większego i bardziej otwartego wyglądu. Ponadto białe koszulki są również uniwersalne i łatwe do zestawienia z innymi elementami garderoby.

● Nasycone kolory: Koszulki w intensywnych, nasyconych kolorach, takich jak czerwień, niebieski czy zieleń, mogą przyciągać uwagę i dodawać energii do stylizacji. Mogą one również nadawać pewnego rodzaju dynamizmu sylwetce.

● Pastelowe kolory: Koszulki w pastelowych kolorach, takich jak różowy, miętowy czy jasny niebieski, są delikatne i przyjemne dla oka. Mogą one nadawać wyglądowi lekkości i subtelności.

● Neutralne kolory: Koszulki w neutralnych kolorach, takich jak szary, beżowy czy brązowy, są wszechstronne i łatwe do zestawienia z innymi ubraniami. Mogą one być dobrym tłem dla bardziej wyrazistych akcentów w stylizacji.

- Paski i wzory: Koszulki z paskami lub innymi wzorami mogą wprowadzać dodatkowy wymiar do stylizacji. Pionowe paski mogą wydłużać sylwetkę, podczas gdy poziome paski mogą ją poszerzać.

Należy pamiętać, że wpływ kolorów na sylwetkę może być subtelny i zależy od wielu czynników, takich jak kształt ciała, proporcje sylwetki oraz sposób, w jaki koszulka jest noszona i stylizowana.

63. Kup 5 garniturów

Kiedy budujesz swoją garderobę garniturów, warto zacząć od klasycznych kolorów, które są uniwersalne i pasują do wielu różnych okazji. Oto kilka kolorów garniturów, które warto mieć w swojej kolekcji:

- Granatowy: Granatowy garnitur jest absolutnym klasykiem i może być noszony zarówno na bardziej formalne okazje, jak i na spotkania biznesowe czy śluby. Jest elegancki, uniwersalny i zawsze modny.

- Szary: Szary garnitur również jest bardzo uniwersalny i pasuje do wielu różnych stylizacji. Jasnoszary garnitur może być idealny na letnie wydarzenia, podczas gdy ciemnoszary garnitur sprawdzi się doskonale w kontekście biznesowym.

- Czarny: Czarny garnitur jest klasyczną opcją na bardziej formalne okazje, takie jak uroczystości wieczorowe czy wydarzenia galowe. Jest to też popularny wybór w środowisku biznesowym.

- Brązowy: Brązowy garnitur, zwłaszcza w odcieniach ciemnego brązu, może być eleganckim i stylowym wyborem na bardziej casualowe spotkania, takie jak przyjęcia czy randki.

● Beżowy: Beżowy garnitur dodaje lekkości i charakteru do stylizacji, idealny na letnie wydarzenia i casualowe spotkania.

64. Nie rozpinaj marynarki stojąc

Marynarka zapinana na guziki utrzymuje proporcje i kształt sylwetki. Odpowiednio dopasowana marynarka podkreśla ramiona i talię, co dodaje elegancji całej prezencji.

65. Nie zapinaj marynarki siedząc

Podczas siedzenia zapięta marynarka może się marszczyć i deformować, co nie wygląda estetycznie. Rozpięcie marynarki pozwala na swobodniejsze dopasowanie się do sylwetki i uniknięcie niepożądanych fałd i marszczeń.

66. Zwróć uwagę na guziki

N oszenie marynarki wymaga znajomości kilku prostych zasad.
Marynarkę jednorzędową z dwoma guzikami zapinana jest tylko na górny guzik.

Marynarka dwurzędowa zapinana jest na środkowy guzik lub dwa górne.

Marynarka jednorzędowa na trzy guziki zapinana jest na środkowy guzik lub dwa górne.

67. Nie łącz koszuli z krótkim rękawkiem i marynarki

Koszula z krótkimi rękawami ma zazwyczaj bardziej casualowy charakter, podczas gdy marynarka jest elementem bardziej formalnym i eleganckim. Łączenie tych dwóch elementów może powodować konflikt stylów.

68. Nie zakładaj krawata do koszuli z krótkim rękawkiem

K rótkie rękawy koszuli są zazwyczaj kojarzone z casualowym, letnim stylem, podczas gdy krawat jest symbolem formalności. Łączenie tych dwóch elementów może prowadzić do konfliktu stylów i nieproporcjonalności.

69. Wybierz dodatki do garnituru

K iedy już masz garnitury w tych podstawowych kolorach, możesz zacząć tworzyć różnorodne kombinacje z koszulami, krawatami, butami i akcesoriami. Oto kilka wskazówek, jak to zrobić:

- Podstawowa zasada: Jasne koszule pasują do ciemnych garniturów, podczas gdy ciemne koszule najlepiej wyglądają z jasnymi garniturami.

- Krawaty: Wybieraj krawaty, które harmonizują z kolorem garnituru i kontrastują z kolorem koszuli. Na przykład, do granatowego garnituru z białą koszulą możesz wybrać krawat w kolorze burgundowym lub złotym.

- Akcesoria: Dodaj akcenty kolorystyczne za pomocą akcesoriów, takich jak krawaty, spinki do mankietów, chusteczki kieszonkowe czy paski. Staraj się, aby akcesoria pasowały do siebie i tworzyły spójną stylizację.

- Buty: Wybieraj buty, które pasują do charakteru i koloru garnituru. Zazwyczaj czarne lub brązowe buty są bezpiecznym wyborem, ale można również eksperymentować z innymi kolorami, takimi jak burgund lub navy.

Ważne jest, aby dopasować styl i kolorystykę swojej stylizacji do okazji, w której będziesz nosić garnitur, oraz do własnego gustu i osobowości.

70. Naucz się wiązać krawat

U miejętność wiązania krawata dodaje elegancji i profesjonalizmu do wyglądu. W wielu środowiskach biznesowych i formalnych, noszenie krawata jest uznawane za znak odpowiedniego ubioru, a umiejętność wiązania go poprawnie może podnieść Twój wizerunek
Instrukcja:

- Rozpocznij od zakładania koszuli i postawienia się przed lustrem z krawatem owiniętym wokół szyi, tak aby szersza część krawata była po lewej stronie, a węższa po prawej.

- Ustal długość krawata: Dłuższa część krawata powinna sięgać do środka pasa lub być nieco krótsza, gdy jest zawiązana.

- Chwyć szerszą część krawata prawą ręką i przetrzyj ją przez węzeł krawata.

- Złóż prawą część krawata przez wierzchołek krawata i wróć z powrotem na prawą stronę.

- Chwyć szerszą część krawata lewą ręką i przetrzyj ją przez pętlę utworzoną przez składanie prawej strony krawata.

- Przetrzyj szerszą część krawata z powrotem przez węzeł krawata, zwracając uwagę, aby pętla utworzona przez składanie prawej strony krawata nie została zbyt ściśnięta.

● Dokładnie ugnieć i wyprostować węzeł, przesuwając go w górę wzdłuż krawata.

● Ostatecznie delikatnie pociągnij obie końcówki krawata, aby dopasować węzeł do pożądanej długości i pozycji.

● Sprawdź w lustrze, czy węzeł jest równy i dobrze zawiązany.

71. Nie noś zbyt długiego lub krótkiego krawata

- Krawat powinien mieć odpowiednią długość, aby pasować do długości torsu i zachować proporcje. Zbyt długi krawat będzie zwisał zbyt daleko poniżej pasa, co może wyglądać niechlujnie, podczas gdy zbyt krótki krawat może wydawać się komiczny.

- Końcówka krawata powinna stykać się z górną powierzchnią paska lub sięgać jego połowy.

72. Nie rozpinaj kołnierza, gdy nosisz krawat

Rozpinany kołnierzyk może wyglądać niechlujnie i zakryć krawat, który powinien być elementem centralnym wizualnie w przypadku noszenia koszuli z krawatem. Zachowanie schludnego i dopasowanego kołnierzyka podkreśla elegancję całego stroju.

73. Stwórz 75 modnych kombinacji

Do tego celu potrzebujesz:

- 5 garniturów: czarny, navy, brązowy, szary, beżowy.
- 2 białe koszule.
- 2 kremowe koszule.
- 2 niebieskie koszule.

Gotowe! Taki zestaw pozwala na dowolne miksowanie i tworzenie świetnego stroju!

74. Dopasuj kolor butów

O to kilka wskazówek dotyczących tego, jak dopasować kolory butów do różnych rodzajów strojów:

- Czarne buty:

○ Pasują do formalnych i eleganckich strojów, takich jak garnitury w kolorze czarnym, granatowym lub szarym.

○ Mogą być również noszone z niektórymi bardziej casualowymi stylizacjami, takimi jak ciemne jeansy i koszula, szczególnie w bardziej formalnych okolicznościach.

- Brązowe buty:

○ Idealnie komponują się z brązowymi i beżowymi garniturami oraz z różnymi odcieniami szarości.

○ Pasują również do casualowych stylizacji, takich jak jeansy i sweter lub koszula.

- Brązowe buty skórzane (ciemniejsze odcienie):

○ Idealne do noszenia z garniturami w odcieniach brązu, zieleni, granatu oraz z jeansami i innymi casualowymi stylizacjami.

○ Mogą również dobrze współgrać z bardziej eleganckimi strojami, szczególnie jeśli mają bardziej klasyczny kształt i wykończenie.

● Burgundowe buty:

○ Dobrze wyglądają z granatowymi i szarymi garniturami oraz z różnymi odcieniami brązu.

○ Mogą dodać interesujący akcent kolorystyczny do stylizacji, szczególnie jeśli noszone są z neutralnymi kolorami ubrań.

● Beżowe buty:

○ Idealne do noszenia z jasnymi garniturami, takimi jak beżowe, białe, jasnoszare, a także z jeansami i innymi casualowymi stylizacjami.

○ Pasują do bardziej letnich i casualowych okazji, ale mogą być również noszone w bardziej formalnych sytuacjach, o ile są wykonane z odpowiednich materiałów i mają elegancki wygląd.

○

Podczas dobierania koloru butów do stroju warto również zwrócić uwagę na styl i formalność okazji, w której będziesz nosić ubranie. Ważne jest również, aby buty pasowały do reszty kolorystyki stroju i tworzyły spójną stylizację.

75. Wybierz nakrycie głowy

Dobór idealnego nakrycia głowy dla mężczyzny zależy od kilku czynników, w tym od okazji, osobistego stylu, kształtu twarzy oraz preferencji.

Pierwszym krokiem jest rozważenie okazji, na którą będziesz nosić nakrycie głowy. Na przykład:

- Na formalne lub biznesowe spotkania odpowiednie będą eleganckie kapelusze.

- Na nieformalne wyjścia, takie jak spacery po mieście lub spotkania ze znajomymi, możesz wybrać bardziej swobodne nakrycie głowy, na przykład bejsbolówkę, czapkę z daszkiem lub kaszkiet.

Wybierz nakrycie głowy, które pasuje do Twojego osobistego stylu i gustu. Jeśli preferujesz klasyczny i elegancki wygląd, możesz wybrać kapelusz. Jeśli preferujesz bardziej casualowy i nowoczesny styl, czapka z daszkiem lub bejsbolówka mogą być lepszym wyborem.

Niektóre style nakryć głowy mogą lepiej pasować do określonych kształtów twarzy. Na przykład:

- Osoby o okrągłej twarzy mogą preferować nakrycia głowy, które dodają wysokości, takie jak kapelusze z wyższym korpusikiem.

● Osoby o twarzy owalnej mogą nosić praktycznie każdy rodzaj nakrycia głowy, ponieważ mają one proporcje, które pasują do większości stylów.

● Osoby o twarzy kwadratowej mogą unikać nakryć głowy z płaskimi daszkami, które mogą podkreślać kształt ich twarzy. Zamiast tego, mogą wybierać nakrycia głowy z zaokrąglonymi kształtami lub szerszymi korpusikami.

76. Zamów płaszcz na wymiar

Płaszcz może być kluczowym elementem stylizacji, nadając elegancji i wyrafinowania całej garderobie. Odpowiednio dobrany płaszcz może podkreślić osobisty styl i dodatkowo urozmaicić wygląd.

Płaszcz stanowi warstwę ochronną przed deszczem, wiatrem, śniegiem i chłodem.

Płaszcz to ubranie uniwersalne, które można nosić na wiele różnych okazji - od codziennych spacerów po formalne wyjścia. Dzięki swojej wszechstronności można go zestawić zarówno z casualowymi, jak i eleganckimi stylizacjami.

Płaszcz jest klasycznym elementem męskiej garderoby, który nigdy nie wychodzi z mody. Dzięki swojej ponadczasowej naturze można go nosić przez wiele sezonów, co czyni go wartościową inwestycją w długoterminową perspektywę.

Zamawiając płaszcz u krawca, otrzymasz unikatowy produkt, który nie będzie dostępny masowo w sklepach. Będziesz mieć pewność, że nikt inny nie będzie nosił identycznego płaszcza, co dodaje wyjątkowości i indywidualności Twojemu stylowi.

Krótki płaszcze sprawdzą się wśród osób o niewielkim wzroście, a długie dedykowane są osobom wysokim.

Warto zapamiętać, że krótkie ubrania wydłużają sylwetkę, a długie - skracają ją!

77. Zapnij tuszę

Wykorzystuj efekt wizualny.

Zapięcie dopasowanego płaszcza lub marynarki sprawi, że będziesz wyglądał szczuplej!

78. Skorzystaj z pomocy stylisty

S korzystanie z osobistego stylisty może przynieść wiele korzyści dla mężczyzny, zwłaszcza jeśli chodzi o jego wygląd i styl.

Osobisty stylista posiada specjalistyczną wiedzę na temat mody, trendów, krojów, kolorów i proporcji. Dzięki temu może doradzić w doborze ubrań i akcesoriów, które najlepiej będą pasować do indywidualnych cech i preferencji klienta.

Osobisty ekspert pracuje z klientem w sposób indywidualny, biorąc pod uwagę jego osobiste preferencje, styl życia, budowę ciała oraz cele, jakie chce osiągnąć. Dzięki temu każda sesja stylizacyjna jest dostosowana do konkretnych potrzeb klienta.

Poszukiwanie idealnych ubrań i tworzenie stylizacji może być czasochłonne i frustrujące. Osobisty stylista może zaoszczędzić klientowi czas i wysiłek, pomagając w szybszym i skuteczniejszym doborze odpowiednich ubrań oraz kompletnych outfitów.

Co więcej, usługi specjalisty są dzisiaj niezwykle dostępne i atrakcyjne pod względem ceny.

79. Noś elegancki zegarek

Ponadczasowy zegarek o eleganckim designie nigdy nie wychodzi z mody. Nie podlega trendom, dzięki czemu będzie nadal stylowy przez wiele lat.

Noszenie eleganckiego zegarka może być wyrazem klasy, stylu i dobrego smaku. Dobrze dobrany zegarek może podkreślić Twoją osobowość i dodawać pewności siebie.

Zegarki wykonane z wysokiej jakości materiałów, takich jak stal nierdzewna czy złoto, mogą zyskiwać na wartości z czasem. W rezultacie, zakup profesjonalnego zegarka może być również inwestycją finansową.

Profesjonalny zegarek może być również symbolem statusu społecznego i sukcesu. Noszenie takiego zegarka może pomóc w budowaniu wizerunku osoby pewnej siebie i odnoszącej sukcesy.

80. Dbaj o wzrok

Wybór idealnych okularów dla mężczyzny zależy od kilku czynników, takich jak kształt twarzy, styl życia, preferencje osobiste oraz aktualne trendy.

Ten aspekt dotyczy okularów korekcyjnych, ale również okularów przeciwsłonecznych.

Wybierając okulary, warto zwrócić uwagę na kształt swojej twarzy i dopasować do niego odpowiedni rodzaj oprawek. Na przykład:

● Jeśli masz okrągłą twarz, możesz wybrać okulary z kanciastymi oprawkami, które pomogą zrównoważyć jej okrągłe kształty.

● Dla osób o twarzy kwadratowej lub prostokątnej, okulary o bardziej zaokrąglonych kształtach mogą złagodzić ostre linie twarzy.

● W przypadku twarzy owalnej większość kształtów okularów może pasować, więc można eksperymentować z różnymi stylami.

Ważne jest również uwzględnienie stylu życia i potrzeb użytkownika. Na przykład, jeśli spędzasz dużo czasu na aktywnościach na świeżym powietrzu, warto wybrać okulary z wysoką jakością soczewek, które zapewnią ochronę przed promieniowaniem UV i innymi szkodliwymi czynnikami.

OKULARY MOGĄ BYĆ UŻYWANE w różnych celach, np. do codziennego noszenia, jazdy samochodem, sportu czy czytania. Dlatego warto wybrać okulary odpowiednie do swoich potrzeb. Na przykład, jeśli potrzebujesz okularów przeciwsłonecznych do aktywności sportowej, warto zainwestować w modele zapewniające stabilność i dobrą widoczność.

Kolor oprawek okularów powinien komplementować kolor skóry, oczu i włosów. Ogólnie rzecz biorąc, osoby o jasnej skórze często lepiej wyglądają w jasnych kolorach oprawek, podczas gdy osoby o ciemniejszej skórze mogą preferować ciemniejsze kolory oprawek.

81. Wybierz skórzany portfel

Dobry skórzany portfel dodaje męskiemu ubiorowi elegancji i klasy. Jest to dodatek, który przyciąga uwagę i może podkreślić osobisty styl.

Portfele wykonane ze wysokiej jakości skóry są zazwyczaj bardzo trwałe. W przeciwieństwie do portfeli z tańszych materiałów, skórzane portfele zwykle zachowują swój wygląd i jakość przez długi czas.

Wiele osób kojarzy skórę z luksusem i wysokim standardem życia, więc posiadanie skórzanego portfela może dodawać do wizerunku mężczyzny pewnego rodzaju statusu społecznego.

Dobrze zaprojektowany skórzany portfel może pomóc w lepszej organizacji pieniędzy, kart kredytowych, dokumentów tożsamości

82. Noś skórzany pasek

S kórzane paski są zazwyczaj postrzegane jako eleganckie i stylowe dodatki do ubioru. Dodając taki pasek do swojej garderoby, mężczyzna może podkreślić swój gust i dbałość o wygląd.

Wybierając pasek wykonany z wysokiej jakości skóry i solidnych klamer, mężczyzna prezentuje się wręcz doskonale.

Skórzany pasek może doskonale komponować się z innymi elementami garderoby, takimi jak buty czy portfel. Dopasowany kolor lub faktura paska może dodawać spójności i harmonii całemu strojowi.

Do czarnych butów wybierz czarny pasek, a do brązowych – brązowy.

83. Wypróbuj szelki

S zelki mogą dodawać elegancji i stylu do stroju, szczególnie gdy są wykonane z wysokiej jakości materiałów i mają atrakcyjne detale.

Dla tych, którzy nie lubią nosić paska lub chcą odmienić swój wygląd, szelki mogą być atrakcyjną alternatywą, która dodaje oryginalności i charakteru do stroju.

Szelki sprawdzą się do eleganckich kreacji, ale również luźniejszych stylizacji.

Warto pamiętać, że paska i szelek nie nosimy jednocześnie.

Szelki dedykowane są spodniom pozbawionym szlufek.

84. Noś spinki do mankietów

J eśli chcesz się wyróżnić lub podkreślić swój indywidualny charakter, spinki do mankietów sprawdzą się idealnie!

Dzisiaj jest to atrakcyjny dodatek do stylizacji, który wymaga nabycia specjalnej koszuli, umożliwiającej zapięcie dodatku.

85. Wybierz poszetkę

Poszetka jest idealnym dodatkiem do eleganckich, ale również casualowych stylizacji. Poszetka nie wymaga bowiem łączenia z muszką lub krawatem.

Przyjęło się, że biała poszetka dedykowana jest oficjalnym i formalnym uroczystościom, a te bardziej kolorowe formy mogą być przeznaczone do mniej formalnych imprez.

Co więcej, krawat i poszetka powinny być zbliżone kolorystycznie, ale nie identyczne.

Oto prosty sposób na złożenie poszetki metodą TV fold, dzięki któremu uzyskamy wąski pasek wystający z kieszonki piersiowej:

- Pierwszym krokiem jest złożenie naszej poszetki na pół.

- Następnie wykonujemy kilka kolejnych złożeń wzdłuż krótszego boku tak, aby powstały prostokąt dopasował się do szerokości kieszonki piersiowej.

Finalnym krokiem jest złożenie powstałego kształtu w celu dopasowania do głębokości naszej kieszonki - idealna wysokość wystawania to 1 lub 1,5 cm.

86. Podróżuj z klasą

Posiadanie eleganckiej skórzanej torby lub plecaka może przynieść wiele korzyści, zarówno pod względem stylu, funkcjonalności, jak i prestiżu.

Skórzane torby i plecaki są symbolem elegancji i klasy. Dodając taki akcesorium do swojej garderoby, możesz podnieść poziom swojego wyglądu i prezentować się bardziej dopracowanie.

Wysokiej jakości skórzane torby i plecaki są zazwyczaj bardzo trwałe i odporne na zużycie. Inwestycja w taką torbę może więc być długoterminową decyzją, ponieważ będzie ona służyć przez wiele lat.

Skórzane torby i plecaki pasują do wielu różnych stylów ubioru i okazji. Mogą być noszone zarówno do pracy, jak i podczas spotkań towarzyskich lub podróży.

87. Bierz zimne prysznice

R zucenie palenia przynosi szereg korzyści zdrowotnych zarówno w krótkim, jak i długim okresie.

Rzucenie palenia zmniejsza ryzyko wystąpienia chorób układu oddechowego, Wówczas poprawiają się zdolności oddechowe, co przekłada się na lepszą wydolność fizyczną.

Palenie zwiększa ryzyko raka płuc, chorób układu krążenia, takich jak choroba wieńcowa, zawał serca, udar mózgu. Rzucenie palenia przyczynia się do poprawy stanu naczyń krwionośnych i obniżenia ciśnienia krwi.

Zrezygnowanie z palenia może przynieść korzyści estetyczne, takie jak poprawa wyglądu skóry, redukcję zmarszczek i żółtego odcienia zębów.

Rzucenie palenia przynosi korzyści również w sferze finansowej, ponieważ eliminuje wydatki na papierosy.

Jak to osiągnąć?

○ Określ jasne powody, dla których chcesz rzucić palenie. To może być poprawa zdrowia, ochrona bliskich przed bierutym paleniem, oszczędności finansowe czy poprawa ogólnego samopoczucia.

○ Wybierz konkretny dzień, kiedy zdecydujesz się rzucić palenie. Postaraj się, aby była to data bliska, ale jednocześnie wystarczająco daleka, abyś miał czas na przygotowanie.

○ Powiedz rodzinie, przyjaciołom i kolegom o swojej decyzji. Znalezienie wsparcia ze strony bliskich może być kluczowe w trudnych momentach.

○ Konsultuj się z lekarzem lub specjalistą ds. rzucania palenia. Mogą oni zaoferować wsparcie, przepisać leki wspomagające rzucanie palenia lub skierować do programów pomocowych.

○ Zidentyfikuj sytuacje, które zazwyczaj skłaniają cię do sięgnięcia po papierosa. Przygotuj się na te sytuacje i znajdź alternatywy, na przykład żucie gumy nikotynowej czy popijanie wody.

○ Pozbądź się papierosów, popielniczek i innych przedmiotów związanych z paleniem z twojego otoczenia. To może pomóc w ograniczeniu kuszących sytuacji.

○ Wybierz zdrowe alternatywy, które mogą pomóc w zminimalizowaniu chęci palenia. To może być żucie gumy, ssanie cukierków bez cukru czy żucie gumy do żucia.

○ Poszukaj alternatywnych metod relaksacji, takich jak medytacja, joga czy głębokie oddychanie. Pomogą one w radzeniu sobie ze stresem, który często towarzyszy procesowi rzucania palenia.

○ Zapisuj swoje postępy i świętuj nawet najmniejsze sukcesy. To może być motywujące i pomaga utrzymać zaangażowanie w procesie rzucania palenia.

○ Nawroty są częścią procesu rzucania palenia. Jeśli popełnisz błąd, nie poddawaj się. Zidentyfikuj, co poszło nie tak i skoncentruj się na kontynuowaniu wysiłków.

88. Rzuć palenie

Rzucenie palenia przynosi szereg korzyści zdrowotnych zarówno w krótkim, jak i długim okresie.

Rzucenie palenia zmniejsza ryzyko wystąpienia chorób układu oddechowego, Wówczas poprawiają się zdolności oddechowe, co przekłada się na lepszą wydolność fizyczną.

Palenie zwiększa ryzyko raka płuc, chorób układu krążenia, takich jak choroba wieńcowa, zawał serca, udar mózgu. Rzucenie palenia przyczynia się do poprawy stanu naczyń krwionośnych i obniżenia ciśnienia krwi.

Zrezygnowanie z palenia może przynieść korzyści estetyczne, takie jak poprawa wyglądu skóry, redukcję zmarszczek i żółtego odcienia zębów.

Rzucenie palenia przynosi korzyści również w sferze finansowej, ponieważ eliminuje wydatki na papierosy.

Jak to osiągnąć?

○ Określ jasne powody, dla których chcesz rzucić palenie. To może być poprawa zdrowia, ochrona bliskich przed bierutym paleniem, oszczędności finansowe czy poprawa ogólnego samopoczucia.

○ Wybierz konkretny dzień, kiedy zdecydujesz się rzucić palenie. Postaraj się, aby była to data bliska, ale jednocześnie wystarczająco daleka, abyś miał czas na przygotowanie.

○ Powiedz rodzinie, przyjaciołom i kolegom o swojej decyzji. Znalezienie wsparcia ze strony bliskich może być kluczowe w trudnych momentach.

○ Konsultuj się z lekarzem lub specjalistą ds. rzucania palenia. Mogą oni zaoferować wsparcie, przepisać leki wspomagające rzucanie palenia lub skierować do programów pomocowych.

○ Zidentyfikuj sytuacje, które zazwyczaj skłaniają cię do sięgnięcia po papierosa. Przygotuj się na te sytuacje i znajdź alternatywy, na przykład żucie gumy nikotynowej czy popijanie wody.

○ Pozbądź się papierosów, popielniczek i innych przedmiotów związanych z paleniem z twojego otoczenia. To może pomóc w ograniczeniu kuszących sytuacji.

○ Wybierz zdrowe alternatywy, które mogą pomóc w zminimalizowaniu chęci palenia. To może być żucie gumy, ssanie cukierków bez cukru czy żucie gumy do żucia.

○ Poszukaj alternatywnych metod relaksacji, takich jak medytacja, joga czy głębokie oddychanie. Pomogą one w radzeniu sobie ze stresem, który często towarzyszy procesowi rzucania palenia.

○ Zapisuj swoje postępy i świętuj nawet najmniejsze sukcesy. To może być motywujące i pomaga utrzymać zaangażowanie w procesie rzucania palenia.

○ Nawroty są częścią procesu rzucania palenia. Jeśli popełnisz błąd, nie poddawaj się. Zidentyfikuj, co poszło nie tak i skoncentruj się na kontynuowaniu wysiłków.

89. Stwórz rutynę snu

Regularne układanie się do snu i budzenie o tej samej godzinie może przynieść szereg korzyści dla zdrowia fizycznego i psychicznego.

Organizm człowieka ma wewnętrzny zegar biologiczny, który reguluje cykl snu i czuwania. Regularne kładzenie się i wstawanie o tej samej godzinie pomaga dostosować ten zegar, co przyczynia się do lepszego snu.

Regularny harmonogram snu pomaga utrzymać stabilność energii i wydajności w ciągu dnia. Stałe godziny snu mogą przeciwdziałać uczuciu zmęczenia i apatii.

Taka rutyna ułatwia poranne wstawanie, ale również późniejsze zasypianie. Co więcej, funkcjonujemy w sposób bardziej zrównoważony i uważny.

Stałe godziny snu mogą wpływać na funkcje poznawcze, takie jak koncentracja, pamięć i zdolność do rozwiązywania problemów, a to przekłada się na skuteczność podczas realizacji codziennych obowiązków, również w sferze zawodowej.

Od dzisiaj kładę się o ...

Od dzisiaj wstaję o ...

90. Wykorzystaj fazy snu

Sen składa się z cykli, zwanych fazami snu, które powtarzają się podczas jednej nocy. Fazy snu dzieli się na dwie główne kategorie: REM i NREM.

Cykl snu zaczyna się fazą NREM (N1,N2,N3) i przechodzi do REM, a następnie powraca do NREM. Cały cykl trwa około 90-120 minut, a w ciągu jednej nocy przechodzi się przez kilka takich cykli.

Ważne jest, aby przejść przez wszystkie fazy snu, ponieważ każda z nich pełni ważne funkcje w regeneracji organizmu i procesach umysłowych.

Do podstawowych zalet snu według takiej strategii zalicza się między innymi lepszą regenerację fizyczną i psychiczną, redukcję stresu, wzmocnienie układu immunologicznego.

91. Wysypiaj się

Wysypianie się ma fundamentalne znaczenie dla zdrowia fizycznego, psychicznego i ogólnego samopoczucia.

Sen jest okresem, podczas którego organizm regeneruje się fizycznie. W tym czasie zachodzi naprawa tkanek, wzmacnianie układu immunologicznego, a także procesy wzrostu i regeneracji komórek.

Odpowiedni sen ma wpływ na funkcje poznawcze, takie jak koncentracja, uwaga, pamięć i zdolność rozwiązywania problemów. Sen pomaga w konsolidacji informacji i utrwaleniu doświadczeń.

Odpowiedni sen ma ogromny wpływ na ogólne samopoczucie. Osoby, które regularnie się wysypiają, zazwyczaj radzą sobie lepiej ze stresem, są bardziej skoncentrowane, kreatywne i mają lepsze samopoczucie psychiczne.

Zatem, ile powinieneś spać?

Uważa się, że osoby dorosłe powinny spać przynajmniej 7 godzin dziennie.

92. Jesteś tym, co jesz

O dżywianie odgrywa istotną rolę w utrzymaniu zdrowia skóry, włosów i całego organizmu, co z kolei może wpływać na ogólną atrakcyjność. Oto kilka kluczowych aspektów odżywiania, które mogą przyczynić się do poprawy atrakcyjności:

- Zbilansowana dieta: Spożywanie zrównoważonych posiłków, zawierających odpowiednie ilości białka, węglowodanów, tłuszczów, witamin i minerałów, wpływa korzystnie na wygląd skóry i włosów. Dieta bogata w różnorodne składniki odżywcze wspomaga regenerację komórkową i utrzymanie elastyczności skóry.

- Woda: Picie wystarczającej ilości wody jest kluczowe dla nawodnienia organizmu, co ma bezpośredni wpływ na elastyczność skóry. Dobrze nawodniona skóra może wyglądać bardziej zdrowo i promiennie.

- Bogate w antyoksydanty jedzenie: Żywność bogata w antyoksydanty, takie jak owoce jagodowe, warzywa liściaste, orzechy i nasiona, pomaga w ochronie skóry przed szkodliwym działaniem wolnych rodników. Antyoksydanty przyczyniają się do zwalczania procesów starzenia się skóry.

- Kwasy tłuszczowe omega-3: Żywność zawierająca kwasy tłuszczowe omega-3, takie jak tłuste ryby, orzechy włoskie i siemię lniane, może wspierać zdrowie skóry, zapewniając odpowiednie nawilżenie i redukując stan zapalny.

● Białko: Spożywanie odpowiedniej ilości białka jest istotne dla budowy kolagenu, który jest kluczowy dla elastyczności skóry. Źródła białka, takie jak mięso, ryby, jaja, rośliny strączkowe i produkty mleczne, powinny być regularnie uwzględniane w diecie.

● Zdrowe tłuszcze: Tłuszcze niezbędne, takie jak te zawarte w awokado, oliwie z oliwek i orzechach, wspierają zdrową skórę i włosy. Zapewniają one odpowiednie nawilżenie i wspomagają produkcję sebum.

● Unikanie szkodliwych substancji: Ograniczanie spożycia substancji szkodliwych, takich jak alkohol, palenie papierosów czy jedzenie wysoko przetworzonej żywności, może pomóc w utrzymaniu zdrowego wyglądu skóry.

93. Jedz mniej słodkości

Ograniczanie spożycia słodkich przekąsek i słodzonych napojów może przynieść szereg korzyści dla zdrowia, w tym korzystnie wpłynąć na wygląd zewnętrzny. Oto kilka powodów, dlaczego ograniczanie spożycia słodkości może być korzystne:

● Zdrowie jamy ustnej: Nadmierne spożycie cukru może przyczynić się do powstawania próchnicy, a także innych problemów z zębami. Ograniczanie słodkich przekąsek wspiera utrzymanie zdrowia jamy ustnej, co ma wpływ na ogólny wygląd uśmiechu.

● Zdrowa skóra: Dieta bogata w nadmierną ilość cukrów prostych może wpływać na procesy zapalne w organizmie i przyczyniać się do problemów skórnych, takich jak trądzik. Ograniczanie spożycia słodyczy może pomóc w utrzymaniu zdrowej skóry.

● Kontrola wagi: Produkty słodzone często zawierają dużo kalorii i niewiele wartości odżywczej. Ograniczenie ich spożycia może pomóc w kontroli masy ciała, co z kolei ma wpływ na ogólny wygląd sylwetki.

● Stabilizacja poziomu energii: Spożycie dużej ilości cukrów prostych może prowadzić do gwałtownych wzrostów i spadków poziomu glukozy we krwi, co wpływa na poziom energii i samopoczucie. Ograniczenie słodyczy może przyczynić się do utrzymania bardziej stabilnego poziomu energii.

● Poprawa kondycji skóry: Zbyt duża ilość cukrów prostych może prowadzić do procesów glikacji, które mogą wpływać na elastyczność skóry i przyspieszać procesy starzenia. Ograniczanie spożycia cukrów może wspomóc utrzymanie zdrowej i jędrnej skóry.

● Zdrowie serca: Dieta bogata w nadmierną ilość cukrów może zwiększać ryzyko chorób serca. Ograniczenie spożycia słodkości jest zalecane w ramach zdrowej diety sercowo-naczyniowej.

94. Pij więcej wody

Regularne spożywanie odpowiedniej ilości wody ma istotne znaczenie dla utrzymania zdrowia i może wpłynąć korzystnie na wygląd zewnętrzny. Oto kilka powodów, dlaczego picie wody jest ważne dla atrakcyjności i ogólnego stanu zdrowia:

- Nawilżenie skóry: Woda odgrywa kluczową rolę w nawilżeniu skóry. Spożywanie odpowiedniej ilości wody pomaga utrzymać elastyczność skóry, zapobiega jej przesuszeniu i może przyczynić się do redukcji drobnych linii i zmarszczek.

- Oczyszczanie organizmu: Woda pomaga w usuwaniu toksyn i zanieczyszczeń z organizmu, co wpływa na czystość skóry. Picie wystarczającej ilości wody wspomaga procesy detoksykacji, co korzystnie wpływa na ogólny stan skóry.

- Zapobieganie trądzikowi: Dobrze nawodniona skóra jest mniej podatna na występowanie trądziku. Spożywanie wystarczającej ilości wody może pomóc w utrzymaniu równowagi produkcji sebum, co jest istotne dla zdrowej skóry.

- Zachowanie jędrności skóry: Woda wspiera produkcję kolagenu, który nadaje skórze jędrność i elastyczność. Odpowiednie nawodnienie przyczynia się do utrzymania zdrowej struktury skóry.

● Poprawa koloru skóry: Picie wody może wpływać na zdrowy kolor skóry, nadając jej naturalne promienie i blask. Osoby dobrze nawodnione często wydają się bardziej promienne i świeże.

● Zdrowe włosy: Nawodnienie organizmu ma również wpływ na kondycję włosów. Woda dostarcza niezbędne substancje odżywcze do mieszka włosowego, co przyczynia się do utrzymania ich blasku i elastyczności.

● Kontrola wagi: Spożywanie wody przed posiłkami może pomóc w zaspokojeniu uczucia głodu, co z kolei może wspomagać utrzymanie zdrowej masy ciała. Zdrowa waga może wpływać na atrakcyjność sylwetki.

95. Zrezygnuj z alkoholu

Rezygnacja z alkoholu może przynieść liczne korzyści zdrowotne. Oto kilka powodów, dla których rezygnacja z alkoholu może wpłynąć pozytywnie na atrakcyjność i ogólny stan zdrowia:

- Zdrowa skóra: Alkohol może prowadzić do odwodnienia organizmu, co ma wpływ na elastyczność skóry. Rezygnacja z alkoholu i zwiększenie spożycia wody może poprawić nawilżenie skóry, co wpłynie na jej zdrowy wygląd.

- Zapobieganie zmarszczkom: Nadmierne spożycie alkoholu może przyspieszać proces starzenia się skóry i sprzyjać powstawaniu zmarszczek. Abstynencja może przyczynić się do utrzymania jędrności skóry.

- Redukcja stanów zapalnych: Alkohol może wywoływać stan zapalny w organizmie, co jest związane z różnymi problemami skórnymi, takimi jak trądzik czy zaczerwienienia. Rezygnacja z alkoholu może pomóc w redukcji stanów zapalnych.

- Lepsze nawodnienie: Alkohol działa moczopędnie, co może prowadzić do utraty płynów i odwodnienia organizmu. Odpowiednie nawodnienie ma kluczowe znaczenie dla zdrowej skóry, włosów i całego organizmu.

- Lepsza kondycja włosów: Alkohol może wpływać na stan włosów, sprawiając, że stają się suche i łamliwe. Rezygnacja z alkoholu może przyczynić się do poprawy ogólnego stanu włosów.

- Zdrowsza wątroba: Alkohol jest przetwarzany przez wątrobę, a nadmierne spożycie może prowadzić do uszkodzeń tego narządu. Zdrowa wątroba jest ważny dla efektywnego usuwania toksyn z organizmu, co wpływa również na ogólny stan zdrowia skóry.

Warto zauważyć, że rezygnacja z alkoholu to indywidualna decyzja, która zależy od wielu czynników, w tym zdrowia, stylu życia i preferencji osobistych. Przy zmianach w diecie lub stylu życia zawsze warto skonsultować się z profesjonalistą zdrowia.

96. Ruszaj się

Regularna aktywność fizyczna, w tym chodzenie i jazda na rowerze, ma nie tylko korzyści zdrowotne, ale również pozytywnie wpływa na atrakcyjność zewnętrzną. Oto kilka powodów, dlaczego ruszanie się może korzystnie wpływać na wygląd:

● Zdrowa skóra: Aktywność fizyczna zwiększa przepływ krwi, co pomaga dostarczyć więcej tlenu i składników odżywczych do komórek skóry. To może przyczynić się do zdrowszego wyglądu i promiennego blasku skóry.

● Poprawa krążenia: Regularne chodzenie i jazda na rowerze wspomagają krążenie krwi, co z kolei może przyczynić się do lepszej elastyczności skóry i ogólnego zdrowia układu krwionośnego.

● Zachowanie zdrowego wagi: Regularna aktywność fizyczna pomaga w utrzymaniu zdrowej masy ciała. Zdrowa waga ma wpływ na proporcje ciała, co może wpłynąć pozytywnie na atrakcyjność sylwetki.

● Redukcja stresu: Aktywność fizyczna pomaga w redukcji poziomu stresu. Stres może wpływać negatywnie na wygląd skóry, przyspieszając procesy starzenia się, a także może powodować problemy ze skórą, takie jak trądzik czy zaczerwienienia.

• Poprawa ogólnej kondycji: Regularna aktywność fizyczna wspomaga ogólną kondycję organizmu. Osoby w dobrej kondycji fizycznej często wydają się bardziej energiczne, co może wpływać pozytywnie na ogólny wygląd.

• Utrzymanie elastyczności mięśni: Chodzenie i jazda na rowerze angażują różne grupy mięśni, co przyczynia się do utrzymania ich elastyczności i sprężystości. To wpływa na ogólny wygląd sylwetki.

• Lepsze samopoczucie: Aktywność fizyczna wyzwala endorfiny, zwane hormonami szczęścia. Działa to pozytywnie na ogólne samopoczucie i może wpływać na pewność siebie, co również ma znaczenie dla atrakcyjności.

Jak zacząć?

• Znajdź motywację: Określ, dlaczego chcesz zacząć aktywność fizyczną w domu. Czy celem jest poprawa kondycji, utrzymanie zdrowia, redukcja stresu czy utrata wagi? Motywacja pomoże Ci utrzymać regularność.

• Wybierz rodzaj aktywności: Wybierz rodzaj aktywności fizycznej, który Cię interesuje i który będzie dostosowany do Twoich umiejętności. Może to być joga, trening siłowy, taniec, ćwiczenia cardio czy nawet krótkie spacery.

• Zorganizuj przestrzeń: Przygotuj miejsce do ćwiczeń w swoim domu. To może być kawałek wolnej podłogi, na którym będziesz mógł wygodnie się poruszać. Spróbuj także utworzyć przyjemne otoczenie, np. poprzez włączenie ulubionej muzyki.

- Uzyskaj niezbędny sprzęt: Niektóre formy aktywności wymagają minimalnego sprzętu, np. maty do jogi, hantle, gumy do ćwiczeń itp. W zależności od tego, co wybierzesz, możesz dostosować swój sprzęt.

- Zacznij od łatwych ćwiczeń: Jeśli dopiero zaczynasz, nie rób tego od razu na najwyższym poziomie intensywności. Wybierz łatwiejsze ćwiczenia i stopniowo zwiększaj intensywność w miarę poprawy kondycji.

- Ustal regularny grafik: Planuj swoje sesje treningowe tak, aby były one stałym elementem Twojego tygodnia. Regularność jest kluczowa dla osiągnięcia rezultatów.

- Znajdź wsparcie: Ćwicz razem z przyjacielem, rodziną lub korzystaj z internetowych źródeł motywacji, takich jak filmy z treningami online czy aplikacje mobilne.

- Bądź elastyczny: Aktywność fizyczna w domu może być dostosowywana do zmian w Twoim życiu. Jeśli coś nie działa, spróbuj czegoś nowego. Najważniejsze to utrzymać aktywność jako stały element codziennego życia.

- Bądź cierpliwy i baw się tym: Wyniki nie zawsze są natychmiastowe, więc bądź cierpliwy. Ważne jest, aby cieszyć się samym procesem i odczuwać radość z aktywności fizycznej.

-

Pamiętaj, że przed rozpoczęciem nowego programu treningowego zawsze warto skonsultować się z lekarzem, szczególnie jeśli masz jakiekolwiek istniejące problemy zdrowotne.

97. Trenuj sztuki walki

Sztuki walki i samoobrona uczą skutecznych technik obronnych, które mogą być niezwykle przydatne w sytuacjach zagrożenia lub ataku. Posiadanie takiej wiedzy i umiejętności daje pewność siebie i poczucie bezpieczeństwa.

Trening sztuk walki wymaga samodyscypliny. Regularna praktyka pozwala mężczyźnie rozwijać te cechy, co może mieć pozytywny wpływ na wiele innych obszarów życia, takich jak praca, edukacja czy relacje z innymi.

Trening sztuk walki pozwala poprawić kondycję fizyczną, siłę i gibkość. Silne ciało jest równie ważne jak umysł, dlatego regularna aktywność fizyczna może pomóc mężczyźnie być zdrowszym i bardziej energicznym.

Sztuki walki uczą technik kontroli oddechu, relaksacji i radzenia sobie ze stresem. Dzięki temu mężczyzna może lepiej radzić sobie z trudnościami życiowymi i wyzwaniem, zachowując spokój i opanowanie.

Trening sztuk walki często odbywa się w grupie, co sprzyja budowaniu relacji z innymi ludźmi. Współpraca z partnerami treningowymi i instruktorami może pomóc mężczyźnie w rozwijaniu umiejętności interpersonalnych i budowaniu nowych przyjaźni.

98. Zbuduj mięśnie

S ilnie i dobrze zdefiniowane mięśnie mogą dodawać atrakcyjności fizycznej poprzez podkreślenie proporcji ciała, poprawę postawy i ogólne wrażenie siły i zdrowia.

Osoby o silnej i umięśnionej budowie ciała często wykazują większą pewność siebie i pozytywne nastawienie do siebie. Budowanie mięśni może zwiększyć poczucie własnej wartości i pewność siebie, co może być atrakcyjne dla innych.

Wspólne trenowanie i rozwijanie mięśni może być formą budowania relacji społecznych i wspólnego zainteresowania.

99. Wzmacniaj szyję

Wzmacnianie szyi może być niezwykle ważnym elementem kształtowania atrakcyjności.

Grubsza szyja może wpływać na proporcje ciała, co niektóre osoby uważają za atrakcyjne. Zwiększona muskulatura szyi może stworzyć wrażenie siły i harmonii fizycznej.

Trening jest niezwykle prosty, ale skuteczny.

- Połóż się na skraju łóżka twarzą ku górze tak, aby kark wystawał poza jego obrys.

- Obniż pozycję głowy, a następnie podnieś głowę do pozycji wyjściowej.

100. Ćwicz przedramiona

Ćwiczenia przedramion mogą pomóc w budowaniu siły i wytrzymałości mięśniowych, co ma kluczowe znaczenie w wykonywaniu codziennych czynności oraz w aktywnościach sportowych.

Eksponowanie muskulatury przedramion może dodawać estetyki sylwetce, szczególnie jeśli jest proporcjonalna do reszty ciała. Dobrze rozwinięte przedramiona mogą podkreślać ogólną sylwetkę i wygląd fizyczny.

Podsumowując, ćwiczenia przedramion mogą przynieść wiele korzyści, w tym budowę siły i wytrzymałości, poprawę estetyki sylwetki, wzmacnianie mięśni stabilizujących oraz poprawę funkcjonalności.

101. Śmiej się

Codzienna dawka śmiechu ma ogromne znaczenie dla zdrowia fizycznego i psychicznego.

Śmiech ma pozytywny wpływ na zdrowie fizyczne poprzez stymulację układu odpornościowego, poprawę krążenia krwi, obniżenie poziomu stresu i zmniejszenie napięcia mięśniowego.

Śmiech pomaga nam również spojrzeć na życie z dystansem, co może poprawić nasze samopoczucie i zdolność do radzenia sobie z trudnościami.

Regularna dawka śmiechu sprawia, że życie staje się bardziej radosne i pełne satysfakcji. Śmiech pozwala nam cieszyć się chwilą i doceniać drobne przyjemności codzienności. Jest to ważne szczególnie w obliczu życiowych wyzwań i trudności - a tych przecież nie brakuje.

Poczucie humoru jest bardzo ważnym składnikiem atrakcyjności!

102. Głowa wysoko

Trzymanie głowy wysoko daje wyraz pewności siebie i samoakceptacji. Ludzie zazwyczaj postrzegają osoby, które utrzymują prostą postawę i podnoszą głowę, jako bardziej pewne siebie i zdecydowane.

Głowa wysoko uniesiona może być oznaką siły charakteru i determinacji. Osoby, które utrzymują pewną i zdecydowaną postawę, często są postrzegane jako bardziej wiarygodne i kompetentne.

Taka postawa pozwala również wyeksponować linię szczęki oraz kości policzkowych, co jest szczególnie ważne w kontekście atrakcyjności.

103. Patrz w oczy

P atrzenie w oczy podczas rozmowy pomaga nawiązać i utrzymać kontakt z drugą osobą. To sygnał, że jesteś skoncentrowany i zaangażowany w to, co mówi druga osoba.

Patrzenie w oczy podczas rozmowy może budować zaufanie między rozmówcami. To dowód szacunku i otwartości na drugą osobę, co przyczynia się do lepszej komunikacji i relacji międzyludzkich.

Osoby, które pewnie patrzą w oczy podczas rozmowy, wydają się bardziej pewne siebie i zdecydowane. To sygnał, że masz zaufanie do siebie i swoich umiejętności komunikacyjnych.

Osoby, które utrzymują kontakt wzrokowy podczas rozmowy, są często postrzegane jako bardziej atrakcyjne i pewne siebie. To pozytywne wrażenie może przyczynić się do budowania pozytywnych relacji z innymi ludźmi.

Kontakt wzrokowy powinien być utrzymany przez około 70% rozmowy.

104. Dbaj o język ciała

Bądź świadomy swojej postawy i ciągle przywracają ją do
właściwego stanu, aby zbudować zdrowy nawyk.

Zbyt gwałtowne lub chaotyczne gesty mogą wyrażać niepewność.
Staraj się utrzymać kontrolowane i zrównoważone ruchy, które dodają
pewności siebie Twojemu poruszaniu się.

Pamiętaj, że Twoja postawa przedstawia Twoje odczucia, ale może
również je kształtować - utrzymuj prostą postawę, aby zyskać pewność
siebie.

- Stanie: Stań prosto, trzymaj głowę wysoko, klatka lekko
wypięta, plecy prosto, a ramiona zwisają przy ciele. Pozycja
jest szeroka i stabilna. Unikaj garbienia się, zwijania ramion
lub trzymania ramion w kieszeniach lub skrzyżowanych na
piersi. Prosta postawa wyraża pewność siebie i pozytywne
nastawienie. Nie krzyżuj rąk lub stóp.

- Siedzenie: otwarta komunikacja ciała bez krzyżowania
rąk lub nóg. Nie chowaj rąk i nie zasłaniaj oczu.

- Poruszanie się: Nie wahaj się podczas poruszania się, miej
zdecydowane kroki i cel w przód. Wolne, pewne ruchy
sprawiają, że wydajesz się bardziej pewny siebie i
zdecydowany.

105. Wykorzystuj matching i mirroring

Te skuteczne metody polegają na bardzo subtelnym, przemyślanym i wprawnym naśladowaniu zachowania swojego rozmówcy

Matching bazuje na kopiowaniu ruchów tą samą stroną, natomiast mirroring odwrotną - wówczas rozmówca ma wrażenie, że znajduje się przed lustrem.

Efektywność metod wynika z podświadomego poszukiwania podobieństw w naszym rozmówcy.

Milton Keynes UK
Ingram Content Group UK Ltd.
UKHW010709280324
440307UK00001B/46

9 798224 562046